CW00430920

HISTORIA
DEL AJEDREZ

GABRIEL MARIO GOMEZ

HISTORIA DEL AJEDREZ

PLANETA

Diseño de cubierta: Mario Blanco
Diseño de interior: Alejandro Ulloa

© 1998, Gabriel Mario Gómez

Derechos exclusivos de edición en castellano
reservados para todo el mundo:
© 1998, Editorial Planeta Argentina S.A.I.C.
Independencia 1668, 1100 Buenos Aires
Grupo Editorial Planeta

ISBN 950-49-0046-1

Hecho el depósito que prevé la ley 11.723
Impreso en la Argentina

INTRODUCCION

Del ocio al juego-ciencia

Si se echa una mirada de conjunto a un tablero de ajedrez, con todas las piezas ubicadas en su sitio original, lo que primero llama la atención es el marcado acento bélico que poseen esas dos formaciones: iguales en todo, menos en el color, ocupan cada una una cuarta parte del tablero y esperan la mano de quien las haga entrar en combate.

Esta sensación la hemos tenido todos los que, en alguna etapa de la vida, nos acercamos con curiosidad al tablero y vimos esas dos formaciones, esas dos fuerzas, listas para entrar en la lid. Podíamos imaginar entonces las reñidas batallas que tenían lugar en sus sesenta y cuatro casillas, alternadamente claras y oscuras.

Una sensación similar inspiró, seguramente, a moralistas y filósofos, como el anónimo redactor del *Tratado del juego del ajedrez*, del siglo XIV; a boticarios, como el portugués Damiano —a quien se atribuye la invención de la notación descriptiva— o a frailes, como Ruy López de Segura, quien nos ha dejado una línea de juego —la que lleva su nombre— que aún hoy, cuatrocientos años más tarde, sigue dando sus frutos y es motivo de permanente estudio por parte de los grandes maestros de todo el mundo.

El ajedrez es un juego. ¿Es un juego? ¿Es el juego de los juegos? ¿Es el juego de los reyes? ¿Es el juego de la guerra? Es todo ello y mucho más. Es el juego de la vida y de las grandezas y miserias humanas. Sus ignotos inventores quisieron retratar, en sus piezas, un modelo de sociedad militar, muy cara a aquellos tiempos heroicos en que el sacrificio, la lealtad a un señor y el espíritu beligerante eran moneda corriente.

El hombre juega. Es *homo ludens*, como bien lo ha dicho Huizinga; el juego se halla encarnado en la historia del hombre y es un aspecto más de su devenir. Desde los primeros tiempos, a medida que iba sometiendo y dominando su propio espacio geográfico, el hombre fue ganando tiempo. Ese tiempo, no dedicado a las cuestiones fundamentales de la supervivencia, pasó a ser un tiempo libre. Tiempo de esparcimiento, tiempo de iniciar nuevas aventuras, de explorar y descubrir nuevos mundos, de amar y de jugar.

La vida intelectual es hija del ocio, sostiene acertadamente Josef Piper en *El ocio y la vida intelectual*. En efecto, nadie puede imaginar a Platón atendiendo la ventanilla de cuentas corrientes de un banco oficial, desde las diez hasta las quince. Los más grandes beneficios de la humanidad se deben, casi seguramente, a las consecuencias del tiempo libre, maravillosamente conseguido.

El ocio nació cuando algunos hombres pudieron conseguir que otros hicieran las tareas de supervivencia, para así poder dedicarse ellos a otras cuestiones antes imposibles, tales como la especulación filosófica. En ese ocio está el origen del pensar.

Muchos discípulos llevaban víveres a Sócrates, nada más que para escucharlo explayarse sobre el buen gobierno de la República, sobre el valor, sobre la verdad o la belleza. ¿Pero cuál ha sido, entonces, la labor de Sócrates en su paso por este mundo? ¿Qué cosa perdurable nos ha dejado? El pensar o, si se quiere, el enseñar a pensar, ¿en qué momento fue logrado? En el momento de su ocio, en su tiempo libre. El de Sócrates fue un ocio fecundo, hasta que la cicuta interrumpió sus días. Y, como reza cierta sentencia bajolatina que alguna vez tradujimos en la escuela secundaria, *"Cicuta magnum Socratem fecit"* (La cicuta hizo maravilloso a Sócrates).

Ese ocio, transformado en "el tiempo" de cada uno de nosotros, es el que nos ha dejado las más excelsas creaciones del espíritu. En su Égloga Primera, nos dice Virgilio: *"Haec otia unus deus mihi fecit"* (Estos ocios me los ha hecho un dios), ponderando ese tiempo libre como un objeto inapreciable, de indudable inspiración divina. Y el ajedrez es eso: un producto del ocio, destinado a llenar ese mismo ocio. No por nada la mayoría de las fábulas que cuentan su invención incluyen al tiempo libre como punto de partida para su creación: un rey que no tenía con quien guerrear, un capitán que necesitaba evitar el aburrimiento de sus soldados durante un largo sitio...

Con el correr de los siglos, esta suerte de *imago belli*, de imagen de la guerra, básicamente lúdica, se transformó en un medio de vida para muchos que han hecho fortuna con su práctica.

Ya Ruy López, a mediados del siglo XVI, había podido vivir del ajedrez, gracias a los privilegios y franquicias concedidas por las regias manos de Felipe II de España, de quien fuera confesor y amigo personal. Lo mismo podemos decir de Philidor, que además de músico bohemio y aristócrata antirrevolucionario en los tiempos de la Revolución Francesa, solía desafiar a parroquianos bisoños de los cafés de París y Londres por unas monedas, actividad que alternó con la enseñanza del juego, del que fue uno de los primeros profesores de la historia.

Si "todo es historia", como se ha sugerido en muchas ocasiones, buceemos en este fascinante universo de treinta y dos trebejos y sesenta y cuatro escaques.

CAPITULO I

PREHISTORIA DE UN JUEGO MUY ANTIGUO

Andábase de casa en casa
como pieza de ajedrez,
sin nunca poder coger la dama.

Quevedo, LA CASA DE LOS LOCOS DE AMOR

Quiere la leyenda...

... que el ajedrez nació en la India. Lo habría inventado Sissa Ben Dahir, un brahmán que se había propuesto distraer los ocios de un rey muy soberbio. El rey quedó maravillado con esa creación y le ofreció una recompensa al brahmán. Este pidió un grano de trigo por la primera casilla o escaque del tablero de ajedrez, dos por la segunda, cuatro por la tercera, siempre duplicando la cantidad de la casilla anterior, hasta arribar a la última, la sexagésimocuarta. Los simples cómputos que se pueden hacer con una calculadora de bolsillo muestran que a la última casilla del tablero, aun sin contar las demás, le habrían correspondido unos dieciocho cuatrillones de semillas. La cifra es impresionante: todas las cosechas de la historia no bastarían para satisfacerla.

Poca suerte tuvo el brahmán Sissa Ben Dahir, ya que los especialistas ingleses del siglo XVIII, tal vez demasiado apegados a las formas clásicas, le cambiaron el nombre, convirtiéndolo en una musa, como las que brotaron de la rica mitología griega y a las cuales

El sabio Wujurgmitr explica ante el rey Nushirwan, el embajador indio y otros personajes de la Corte el juego del ajedrez.
(*Miniatura del libro* Shahnama, *de Firdawsi.*)

se les suponía aptitudes para inspirar a los artistas. De ahí que el bueno de Sissa vio su nombre transformado en *Caissa* y su sexo alterado, inspirando sabiduría ajedrecística a los hombres, junto con Euterpe, Erato y Melpómene.

Casi todos los relatos sobre los orígenes del ajedrez tienden a realzar el poderoso efecto generado por un juego al que ya se le reconocían, mucho antes de los desarrollos modernos, valores superlativos. Un poeta de nuestra era, Firdawsi, relata una historia muy anterior a su tiempo, según la cual el rey persa Nushirwan (521-578) habría recibido una delegación india portadora de magníficos presentes, entre los cuales se encontraba un tablero de ajedrez junto con las piezas del juego, talladas en marfil y ébano. También le llegó un desafío, pues había una carta, ricamente ilustrada, en la cual se retaba a Nushirwan a encomendar a sus sabios que descubrieran los misterios del juego. El reto determinaba que, si no lograban hacerlo, el rey debía allanarse a pagar tributo al enigmático donante.

Originadas en distintas civilizaciones, en su mayoría del Lejano y del Cercano Oriente, las narraciones legendarias fueron recogidas en forma oral y volcadas luego mayoritariamente en una lengua, el árabe, que no es aquella en que se las contó por primera vez. Los árabes, herederos de toda la tradición cultural indopersa en general, y ajedrecística en particular, glosaron y retranscribieron las fuentes orales en torno a los orígenes del juego, haciendo de ellas, en algu-

·nas casos, una lectura e interpretación totalmente personal. Ellos eran conquistadores, pero se dio una aculturación "a la inversa": se culturalizaron a partir del altísimo nivel alcanzado por los anteriores dueños de la tierra (persas e hindúes).

Las leyendas no constituyen relatos históricos, porque quienes las pusieron por escrito por vez primera lo hicieron desde sus evocaciones, tomando las enseñanzas de sus antecesores, o simplemente parafraseando a otros escritores que ya las habían recibido y ajustado a sus propias conveniencias. Y sin embargo, las más modernas investigaciones históricas no refutan ese relato de carácter histórico-legendario. Las versiones escritas vienen de un pueblo, el árabe, que recibió toda esa tradición y fue formando una especie de ciclo del ajedrez —semejante a otros ciclos, como el del rey Arturo y los Caballeros de la Mesa Redonda o el del Santo Grial, en la Edad Media— en torno a los orígenes de este juego.

> La cultura árabe fue formando una especie de ciclo del ajedrez —semejante a otros ciclos, como el del rey Arturo y los Caballeros de la Mesa Redonda o el del Santo Grial, en la Edad Media— en torno a los orígenes de este juego.

En ajedrez hay un antes y un después de la aparición de un sistema de notación escrita. La notación permite determinar con exactitud la movida a efectuar, sin dar lugar a confusiones o malas interpretaciones. Sin un sistema de notación, no podemos hablar de *historia* del ajedrez; de la misma manera en que no podemos hablar de la música de los primitivos polinesios con la exactitud que aplicamos a la de Mozart. De la música polinesia poseemos testimonios fragmentarios y de carácter oral, que se pierden en la noche de los tiempos, mientras que la obra del genial salzburgués está perfectamente documentada y registrada con la notación musical.

La *historia* del ajedrez nace entonces con la primera notación, ideada por los árabes, que fue de tipo algebraico. A continuación aparece el sistema descriptivo, del tipo P4R (peón cuatro rey), originado en el tratado de Damiano, un farmacéutico portugués de comienzos del siglo XVI, autor de un pequeño librito, con muchas ediciones, que gozó de alta estima durante varios siglos. La notación finalmente se consolida y universaliza con el libro del maestro francés François André Danican Philidor, sobre el que volveremos.

El acervo cultural, transmitido de boca en boca, puede ser llevado a un soporte material (papiro, papel) y quedar de esa forma registrado, como proyección tardía de una etapa más temprana. La *Ilíada* y la *Odisea*, por ejemplo, fueron puestas por escrito mucho después de su composición oral. El ajedrez pasa a ser historia cuando los registros escritos lo sacan del mundo de la leyenda para ubicarlo en el de los hechos comprobables y comprobados.

Los abuelos del ajedrez

El juego del ajedrez tal como lo conocemos hoy, no tiene más de quinientos años. Sin embargo, si nos atenemos a sus características y connotaciones más salientes, podríamos emparentarlo con antiguos juegos de tablero que se practicaron en la India, sin que haya quedado constancia documental alguna, alrededor de dos o tres mil años antes de Cristo.

Al parecer, la esencia de un juego basado en principios militares, cuyo principal objetivo es la captura de la comandancia de las fuerzas adversarias, ya estaba presente por entonces en la India brahmánica. No debemos caer, sin embargo, en el error de asignarle al ajedrez tal antigüedad, puesto que las más lejanas fuentes que hablan de él no se remontan más allá de cinco o seis siglos antes de la era cristiana.

Lo que sí podemos suponer, en base a las fuentes que ha recogido la tradición arábigo-persa y a la presencia del juego en la literatura de la India, es que ciertas formas de este juego fueron elaboradas en ese país, para solaz y diversión de guerreros y nobles, en tiempos muy remotos. Esos juegos, como el *chaturanga* o el *chatura-*

ji, el juego de los cuatro reyes, son mencionados recurrentemente por los investigadores y tal vez tuvieron algo que ver con la ulterior aparición del ajedrez. Pero los investigadores no han encontrado ningún documento que lo acredite, como podría ser el registro de alguna partida jugada con alguno de estos protoajedreces. Lo único que ha podido ser demostrado fehacientemente, merced a la abundante documentación que afortunadamente nos ha llegado, es la evolución etimológica de la voz "ajedrez".

Los persas, de quienes sí tenemos testimonios, lo llamaban *chatrang*. Esta voz sería el resultado de la primera corrupción operada en el término original hindú. Los árabes lo han denominado indistintamente *al shatranj* y también *shatranj* solamente, sin el artículo. Al introducirlo en la península ibérica se completó su evolución lingüística, cuando el sonido "sh" se trocó en la letra "j" o en la "x", como en el caso del portugués y del castellano antiguo.

Los diccionarios del idioma sánscrito — antigua lengua de la India— publicados en el siglo XX asignaban a la voz *chaturanga* no sólo el significado de "ajedrez" sino también el de "ejército". Esto confirma que la voz antedicha empezó a significar "ajedrez" en algún momento indeterminable de la historia y que es de ella de donde provienen todas las demás voces o términos documentados en la escala de la evolución. De todas maneras, es muy probable que no podamos avanzar mucho más en la tarea de encontrarle a este juego una cuna, un inventor y una fecha exacta.

Todos los especialistas —a excepción de Brunet y Bellet, un catalán estudioso de fines del siglo XIX— están convencidos de que el pariente más remoto del juego del ajedrez, algo así como su tatarabuelo, es el *chaturanga*. Murray, un historiador inglés de comienzos del siglo XX, traduce esta voz como si se tratase de una palabra compuesta a la que hace derivar de dos términos, *chatur*, que quiere decir "cuatro" y *anga*, que significa "miembros". De esto resultan cuatro miembros o cuatro partes, que serían las cuatro partes de que constaba el ejército indio de aquellos tiempos. Pero también nos dice que no siempre es posible determinar cuándo esta palabra está utilizada con el significado de "armada" y cuándo con el de "ajedrez".

En 1622 apareció en la ciudad de Lyon el libro de Daniel Souterus, *Palamedes sive de tabula lusoria, alea et variis ludiis quorum 1 philologicus, 2 historicus, 3 eticus seu moralis* ("Palamedes, o sea, de la tabla de entretenimientos, suertes y varios juegos, de los cuales el primero es de corte filológico; el segundo, histórico y el tercero, moral"). El propósito de Souterus, como se desprende del extenso título de su libro, era analizar los aspectos filológicos, históricos y ético-morales de los juegos. Cada libro está dedicado en particular a uno de estos tres aspectos y entre uno de los temas que aborda el autor se halla el problema del origen del ajedrez.

La esencia de un juego basado en principios militares ya estaba presente por entonces en la India brahmánica.

Más allá de su indudable valor bibliográfico, este libro contiene una serie de apreciaciones valiosísimas que nos dan alguna pauta de cómo fue evolucionando la pesquisa historiográfica en torno del problema del ajedrez y cómo se llegó a las teorías anteriormente expuestas, que son en la actualidad las reconocidas como más probablemente válidas. Aunque no llegó al término *chaturanga*, curiosamente Souterus estuvo muy cerca de conocerlo, y se detuvo en una de las primeras corrupciones de esta voz, que es la que produjeron los persas. Vale decir que dejó abierta una línea para la investigación posterior, aprovechada luego por otros eruditos e investigadores.

Con todo, las apreciaciones de Souterus, uno de los últimos representantes de la visión renacentista del mundo, no se pueden desprender todavía de la idea de que toda creación del espíritu debe tener un origen clásico, esto es, grecolatino. Por eso él mismo nos dice "vuelvo a los *latrunculi*" —"*ad latrunculos revertor*"—, un juego practicado por los romanos. La visión basada en la tradición clásica, y los problemas que se plantea resolver, de carácter teológico, histórico y moral, obedecen a ese concepto. Es interesante ver cómo Souterus vacila entre lo que le dictan sus preconceptos y lo que le va mostrando la realidad.

Las fuentes más antiguas para estudiar este protoajedrez, todavía en formación, fueron analizadas primero por Forbes, en el siglo XIX y en segundo lugar por el citado Murray, cuyo libro *A History of Chess* apareció en forma de artículos en el *Illustrated London News*.

Sir William Jones, otro investigador inglés, basándose en la autoridad de su amigo, el brahmán Rada Kant, sostenía que esta primera y rudimentaria forma del juego aparece mencionada en las más antiguas codificaciones hindúes. Asimismo, la fuente principal para el *chaturanga* o ajedrez hindú estaría en el *Bhavishya Purána*, gran colección de versos relativos a la historia y cultura de ese país.

El *chaturanga* era un juego muy elemental; lo que se ha conservado de sus reglas es lamentablemente muy poco y no alcanza para reconstruirlo. Participaban cuatro contendientes, con ocho piezas cada uno, usando dados. El caballo movía de la misma manera en que lo hace ahora (en verdad, esta pieza tuvo idéntico movimiento en todos los juegos contemporáneos o descendientes del *chaturanga*). Existía una forma de coronación llamada *shatpada,* que se hacía en la octava línea del tablero, como en la actualidad, pero adquiriendo el rango de la casilla en la que se había promovido.

Una de las reglas del *chaturanga* determinaba que cuando uno de los cuatro reyes era capturado por fuerzas enemigas, toda su tropa, incluido él mismo, pasaban a depender del rey vencedor; ese rey vencido, o aliado del vencedor, se convertía en su consejero. Ese consejero se transformó, después de una larga evolución —que veremos en detalle más adelante— en la actual dama o reina.

Los padres del ajedrez

Hacia el siglo VII a. C. se constituyen las bases del ajedrez actual: dos formaciones pseudomilitares iguales en número y poder bélico, que se mueven de acuerdo con reglas predeterminadas, según la voluntad de los contendientes, y pugnan por un mismo objetivo: la captura o inmovilización del rey adversario.

Este nuevo juego siguió llamándose *chaturanga,* aunque sólo dos jugadores lo practicaban, con dos únicos reyes. Los otros dos pasaron a ser consejeros y desaparecieron los dados. Éste es el juego que los persas tomaron de los hindúes y bautizaron *chatrang.*

Los árabes lo tomaron de los persas y lo llamaron *shatranj.* A través de España se extendió por el Mediterráneo y a mediados del siglo XV quedó constituido como se juega en la actualidad, pero sólo en 1851, fecha del primer torneo internacional, determinadas cuestiones del juego —como el enroque o la coronación, que obedecían más a la costumbre de cada pueblo que a una práctica reconocida— tuvieron una legislación internacionalmente válida.

No ha quedado registro alguno de partidas jugadas, ni siquiera de finales de ninguna de las variantes asiáticas del juego, particularmente las que se desarrollaron en la India. Los registros más antiguos de partidas indias son de comienzos del siglo pasado, vale decir, de la época en que los extranjeros introdujeron la notación en ese país. Por esta razón, los investigadores del siglo pasado y también de los anteriores se enfrentaron con parcelas de conocimiento sumamente oscuras. Es por eso también que, pese a ser el ajedrez un juego de considerable antigüedad, la investigación histórica seria no tiene más de trescientos años.

Los problemas relativos al desarrollo del juego en sí fueron extremadamente sutiles y las variaciones regionales, enormes. A esto hay que sumarle el agravante de que las pocas referencias que aparecen en las crónicas indias son en su mayoría confusas a la hora de determinar la apertura del juego, medio juego y final, los alcances de las piezas y sus movimientos precisos.

Hasta muy entrado el siglo XIX y muy probablemente una o dos décadas después de iniciado el siglo XX, se seguían practicando, en algunas zonas de China e Indochina, juegos cuya raíz estaba muy cerca del ajedrez moderno, a pesar de diferencias en las piezas y en sus movimientos.

Durante toda la Edad Media se dio por inventor de este juego a Palamedes, combatiente de la Guerra de Troya, a quien Ulises (Odiseo) odiaba por ser su genio superior al de él, pero al que finalmente venció en batalla. Palamedes es reconocido —sin embargo, con algo de duda— por Souterus como el creador del juego.

La Edad Media creó muchas más historias en torno a los orígenes del juego del ajedrez, y los juglares, que llevaban música, danza y cabriolas en sus andanzas, ¡llevaban a veces consigo problemas de ajedrez! En general, le atribuían la invención a Aristóteles, a Platón, a Arquímedes y a otros clásicos griegos o latinos, aunque lo más probable es que se hayan transmitido los problemas unos a otros, de boca en boca, sin preocuparse mucho por su procedencia.

Como ya hemos visto, durante mucho tiempo se creyó que el ajedrez podía descender del *petteia* de los griegos, o de los *latrunculi* de los romanos, aunque ninguno de ellos puede emparentarse físicamente con el ajedrez, más bien se parecen al backgammon, que combina dados, fichas y tablero. En lo que sí se asemejan es en el tablero escaqueado, cosa que no aparece en ningún repertorio árabe, ya que en toda Asia los tableros de los protoajedreces eran uniformemente unicolores, con sus casillas delimitadas por líneas. Sin embargo, algunos tratadistas, como el español Julio Ganzo, un maestro contemporáneo, opinan que los persas ya tenían un tablero de sesenta y cuatro casilleros, alternadamente claros y oscuros, pero nos quedan muchas dudas al respecto. Y, en todo caso, si se dice que los árabes recibieron el juego de los persas, no se puede comprender por qué,

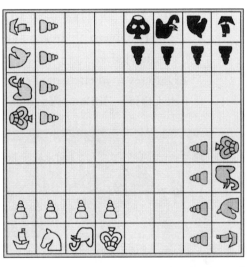

Diagrama de "chaturanga"

Posición de las piezas en el ajedrez indio de cuatro, con el elefante como alfil.

teniendo éstos un tablero ajedrezado, los árabes no dan muestras de haberlo conocido.

En algunos tratados árabes se aconseja al jugador bisoño cerciorarse, antes de intentar coronar un peón y hacerlo *firzán* (equivalente a la dama actual), de que en su recorrido hacia el último escaque, el octavo, no atraviese ninguna diagonal custodiada por un alfil enemigo. Esta recomendación sólo puede ser comprendida en un tablero unicolor, puesto que en el tablero escaqueado ambos alfiles se mueven por diagonales de distintos colores. Si un peón logra, en el tablero ajedrezado, pasar a la diagonal siguiente, ya no será presa del alfil contrario cuyo color de diagonal no coincida con la casilla alcanzada por el peón, en su marcha hacia la promoción.

El tablero ajedrezado clásico aparece por primera vez en el libro de ajedrez compuesto por el rey Alfonso X de Castilla y León. Después se lo encuentra en el del monje dominico italiano Jacobus de Cessolis. En una versión abreviada de esta obra, traducida por un

Tres magos indios obsequian al rey persa, un ajedrez y un juego de dados. El tablero bicolor apareció por primera vez en la obra del rey Alfonso. (MINIATURA DEL LIBRO DE *ALFONSO EL SABIO*.)

moralista sajón del siglo XIII y que lleva por título *Tractatus de Ludo Sccacorum,* que se destaca por sus bellísimas miniaturas iluminadas y del que se ha hecho una reimpresión facsimilar relativamente moderna, también se puede rastrear la aparición del ajedrezado en las obras y libros de ajedrez más antiguos.

Souterus dedica varios capítulos de su libro a un estudio muy pormenorizado y detallista de la etimología de la voz "ajedrez" y usa las voces *calculi, latrunculi y scachia,* indistintamente, para referirse, ya sea a las piezas o al juego. Más adelante señala, en un apartado: *"Scacchæ ludus hodiernus non est veterum ludum latrunculorum"* (El juego del ajedrez actual no es el juego de los *latrunculi* de los antiguos). Esto comprueba sus dudas con respecto a los antecesores grecolatinos del juego del ajedrez.

En el capítulo X, Souterus analiza el juego de los *latrunculi,* que se jugaba en la antigua Roma sobre un tablero semejante al del ajedrez, pero con dados y fichas. Se dedica más adelante a establecer todos los probables vínculos de este juego con el del ajedrez, realizando una labor ciclópea al registrar todas las referencias clásicas en donde aparece mencionada la voz *latrunculi.* Da por inventor del ajedrez al mítico Palamedes, quien lo habría creado para que se entretuviera la soldadesca mientras duraba el largo sitio de Troya.

Souterus se dedica a analizar luego un poema titulado *De ludus scaccorum,* compuesto por Marco Jerónimo Vida, un poeta nacido en Cremona hacia el 1480, y muerto en la ciudad de Alba el 27 de setiembre de 1566. La primera edición de su *"De scaccorum..."* vio la luz en Lyon, en 1527. Posteriormente se hizo una segunda edición en Dublin en 1750 bajo el título de *Scachiæ Ludus, a poem on the game of chess* (un poema sobre el juego de ajedrez). Comentando uno de los versos, dice Souterus: "Se equivocan los que pretenden llamar a ese juego como al que en nuestros tiempos llamamos ajedrez y que por los antiguos es considerado una imitación de los *latrunculi".*

En el libro III del *De arte poetica,* de Ovidio, encuentra Souterus una referencia a un juego que parece ser imagen de la guerra, pero: "Del rey y la reina que existen en nuestros tiempos ningún escritor antiguo hace mención alguna". Y más adelante se pregunta: "¿Qué cosa es entonces este juego del que Ovidio habla?; toda otra y diversa, seguramente del juego que en nuestros tiempos llaman ajedrez".

Una de las fuentes que el autor estudia para establecer los reales alcances del juego de los *latrunculi* es el *Apocoloquintosis del Divino Claudio,* un muy curioso panfleto satírico de Séneca, en donde éste, con la intención de ridiculizar la figura del emperador Claudio, que ya había muerto, monta una farsa en la cual el emperador llega a la morada de los Inmortales para ser deificado (transformado en calabaza si nos atenemos fielmente a la traducción del griego de la voz *apocoloquintosis*). Finalmente se le sigue un juicio por la muerte de un centenar de caballeros romanos y senadores y es condenado a jugar a los dados con un cubilete sin fondo (en otras palabras, un imposible). Los traductores de Séneca optaron por la palabra "dados" pues probablemente conocían el error que implicaba traducir *latrunculi* por "ajedrez".

El juego de los *latrunculi* se hizo muy popular en la Roma imperial y no sería nada extraño que los soldados que echaron suertes sobre la túnica y el manto de Jesucristo, que agonizaba en la cruz, se hayan servido de él para sortearlos.

Más adelante Souterus afirma, con relación al tablero del ajedrez: "El *zatrikión* de los griegos actuales o contemporáneos es la *ta-*

El rey Alfonso dicta su libro a su secretario, aconsejado por dos sabios. (MINIATURA DEL LIBRO DE ALFONSO EL SABIO.)

bla latruncularia de los antiguos, el ajedrez de los españoles y nuestro *scaken*". La palabra latina *scaccus-i*, es una voz tardía originada en la Edad Media que surge de la latinización del término *sha*, que en árabe quiere decir "rey", porque originariamente el escaque era el "lance al rey". Curiosamente, los idiomas no latinos nombran al ajedrez con términos derivados de esta voz (en alemán se lo llama "*schachspiel*", en inglés es "*chess*", etc.), pero en todos ellos (a excepción del francés) la palabra "escaque" se refiere a las casillas del tablero, de ahí la frase "el juego de los escaques".

El juego que los griegos de Bizancio ya jugaban mucho antes de que el ajedrez se conociera en Europa, y que éstos llamaban *zatrikión* fue, sin lugar a dudas, introducido en el Imperio bizantino por los persas. Pero el tablero de dos colores, que no se conoció ni en la India, ni en los países culturalmente influidos por ésta, parece ser de origen clásico, o, al menos, no oriental.

El primer testimonio de la helenización del nombre *chatrang* en *zatrikión* aparece en un escritor bizantino tardío de alrededor del año 1402, llamado Ducas, quien afirma que habiendo Timur Lenk (Tamerlán), el soberano fundador del Imperio mongol, derrotado a Bayaceto en los llanos de Angora, estaba jugando ajedrez con su hijo cuando le trajeron a éste cautivo. Y no se levantó para atenderlo hasta que no concluyó la partida.

En lo que hace al mundo bizantino y su vinculación con el Imperio sasánida, se sabe que tanto los soberanos Cosroes I y II, como los Alexis eran fuertes jugadores de *zatrikión*, juego que —como hemos dicho— los griegos recibieron directamente de los persas.

En *El ajedrez, investigaciones sobre su origen* (Barcelona, 1890), Brunet y Bellet sostenía, basándose en unos bajorrelieves hallados en tumbas faraónicas que presentan el escaqueado del tablero, la que hoy es su abandonada tesis sobre la invención egipcia del juego del ajedrez.

Los nombres de los trebejos

En idioma indio, *chaturanga* significa "cuatro miembros"; esos cuatro miembros serían la caballería; la artillería, compuesta por los carros de guerra; la infantería y los elefantes. Así estaba constituido el ejército en la India, en aquellos remotos tiempos.

Posiblemente, los nombres actuales de las piezas proceden de voces arábigo-persas corruptas.

Con grandes cambios, no sólo en el aspecto meramente formal, sino también en lo que hace a su movilidad dentro del tablero y sus prioridades en el orden de combate, estas cuatro armas se convirtieron en las piezas del juego de ajedrez y se han metamorfoseado, con el correr de los siglos en, respectivamente, los caballos, las torres, los peones y los alfiles.

El *chaturanga* era jugado por cuatro personas. Cada persona poseía un rey o *rajá*, un caballo o *aswa*, un carro de guerra o *rat-ha* (en algunos lugares de la India, un barco o *nauká*), un elefante o *hasti* y cuatro peones o *peddatí*. Cada bando poseía un color de piezas; las amarillas eran socias de las rojas; las verdes, de las negras. Cada movimiento se deducía de una combinación de números surgida al arrojar los dados. Uno de los dados determinaba la pieza a mover y el otro, la cantidad de casillas (como en el juego de la oca actual).

Posiblemente, los nombres actuales de las piezas proceden de voces árabigo-persas corruptas. De hecho, podemos afirmar hoy que, salvo los nombres de muy fácil traducción, como *caballo, rey* o *peón*, los demás son expresiones que ya eran corrupciones del sánscrito cuando las adoptaron los persas.

El caso más claro es el de la voz inglesa *rook*, que es una acomodación fonética de una palabra de origen sánscrito y designa a la torre del ajedrez, sin relación con ninguna palabra inglesa. El enroque, esa suerte de atrincheramiento que realizan simultáneamente el rey y la torre, se llama en inglés *castling*.

Souterus no se equivoca cuando plantea la etimología de las voces *jaque* y *mate*. De ellas afirma que *xa* quiere decir "al rey" y *mat*, "el rey está muerto". De aquí deduce que los babilonios, a los cuales conoce a través de la Biblia, enseñaron el ajedrez a los persas y éstos lo transmitieron a los demás pueblos de Oriente y Occidente.

La pieza contigua al rey se llama *hasti* en sánscrito, *pil* en persa y *fil* en árabe. Cuando a la palabra *fil* —que significa "elefante"— se le antepone el artículo árabe *al*, ambas voces se fusionan en una sola, "alfil", que así pasa al castellano.

Los ingleses llaman al alfil *bishop*, que en su lengua significa "obispo". ¿A qué se debe esta transformación? Veamos: los árabes tenían prohibida la reproducción de figuras humanas o animales, por lo que la pieza *fil* era representada como un colmillo de elefante. Los primeros viajeros ingleses que anduvieron por Medio Oriente vieron en ese colmillo una "mitra", el sombrero con que se identifica a las más altas dignidades eclesiásticas. De esta manera, el elefante indio se transformó en un obispo inglés.

En sus comienzos, el alfil era un elefante.
Baja Italia, marfil, finales siglo XI.

Como se deduce de todo lo anterior, no existía en este juego la pieza que hoy conocemos como *dama* o *reina*.

César Cantú, un detractor del ajedrez

César Cantú, un gran historiador italiano del siglo XIX, escribió en su *Historia universal:*

> ... los chinos se entregan con tal pasión al juego del ajedrez que todo lo descuidan, hasta el comer y beber. Si se acaba el día, encienden luces y continúan y algunas veces los sorprende el alba antes que hayan concluido el juego. Con este pasatiempo debilitan su cuerpo y su espíritu, sin pensar en otra cosa. Si tienen negocios, los descuidan; si se presentan huéspedes, los despiden. No se puede concebir que tales jugadores interrumpan estos frívolos combates ni por la música más solemne, ni por el mayor banquete de ceremonia. En fin, *en este juego, como en otros muchos, se pueden perder hasta los vestidos,* y se ganan, cuando no otra cosa, la rabia, la tristeza y el despecho; ¿por qué?, por quedar dueño de un campo de batalla que en último caso no es más que una tabla, y ganar una especie de victoria que no ha dado a ningún vencedor títulos, pensiones ni tierras. Hay en él ingenio, no lo niego, pero un ingenio inútil al Estado en general y a la familia en particular. Es un camino que no conduce a nada. Porque si se examina con cuidado este juego con respecto al arte de la guerra, no hallo en él correlación alguna con las lecciones que nos dejaron los más famosos maestros y con respecto al gobierno civil, mucho menos encuentro las máximas de nuestros sabios. La habilidad de este juego consiste en sorprender al adversario, tenderle lazos y aprovecharse de sus faltas. ¿Y se inspiran así la buena fe y la probidad? *{Destacado por G. M. G.}*

Resulta extraño que Cantú crea que los chinos jugaban al ajedrez por dinero, como lo sugiere al decir "en este juego... se pueden perder hasta los vestidos". ¿Se trata de simple desconocimiento, o bien de los efectos de una actitud despectiva hacia el ajedrez, cuyos valores, evidentemente, no reconoce?

¿Jugar por dinero?

El conde Barthélemy de Basterot cuenta una interesante anécdota ocurrida en el pueblo de Ströbeck, situado entre Halberstadt y Brunswick. Hasta allí llegó, a fines del siglo XV, un dignatario eclesiástico. Éste enseñó el juego al pueblo y fundó una escuela de ajedrez, pero luego debió partir para tomar el cargo de obispo de Halberstadt. Ströbeck se hizo famoso por la habilidad de sus juga-

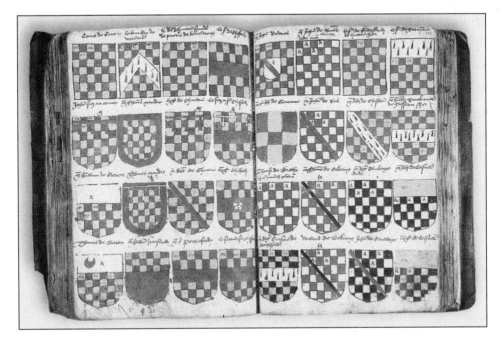

"Ordinary", *del heraldo inglés Flower, en* HERALDRY, DE HENRY BEDINGFELD.

dores, pero éstos empezaron a jugar por dinero y la obra civilizadora del obispo se perdió. En cierta oportunidad llegó un extranjero al pueblo, que fue desafiado por un tal Silverschmit. El extranjero resultó vencedor y al momento de recibir el dinero expresó:

—Amigos míos, este dinero que os he ganado lo dono a vuestros pobres y a vuestra escuela, pero con una condición: todos vosotros me prometeréis, bajo juramento, no jugar más al ajedrez por dinero; este noble juego es suficientemente interesante por sí mismo, y el triunfo en una partida da al vencedor más satisfacción que los tesoros.

AJEDREZ Y HERÁLDICA

Durante la Edad Media el ajedrez llegó a ser muy estimado, particularmente entre la nobleza feudal y la clase de los hombres de armas. A tal punto que el escaqueado o ajedrezado se convirtió en un símbolo heráldico, privilegio de quienes se habían destacado en las lides guerreras y lúdicas. Dice Modesto Costa y Turrell en su *Tratado completo de la ciencia del blasón*: "El ajedrez es una de las más nobles y antiguas figuras de las armerías y sólo se da a los valientes y esforzados guerreros para premiar su valor y osadía. El ajedrez es retrato de la milicia por presentarse en él un campo de batalla, encima de cuyos cuadros, y ordenados en hileras opuestas, se ven los soldados que la componen, los dos ejércitos enemigos vestidos de diferentes libreas y por lo mismo toman por armas el tablero del ajedrez aquellos que expusieron la vida al trance particular de una batalla".

En tiempos de Fernando III el Santo (siglo XIII), los Valladares, una familia noble de España, ya tenía blasonado el escudo de esa manera y Basterot, un investigador moderno, sugiere que en Francia veintitrés familias, y en Inglaterra, veintiséis, ostentaban el ajedrezado en sus escudos y reproduce en su libro dos escudos blasonados, de ambas naciones.

La actual República de Croacia, que formó parte de la sojuzgada y desaparecida Yugoslavia, tenía en sus tiempos heroicos un escudo de armas ajedrezado, que ha sido rescatado después de muchos años de opresión serbia, y que hoy luce en su bandera. El escudo alterna casillas de color plata, con otras de gules (como se llama al color rojo en la ciencia heráldica).

Las distintas piezas del juego del ajedrez se han convertido también en motivos heráldicos, pero una de ellas, el roque o torre, según afirman los peritos, ha sido figura de armas de numerosas familias españolas, llegándose a afirmar que todos los caballeros con ese apellido tuvieron o tienen en su escudo esta pieza de ajedrez. También lo tuvieron en el suyo veinticinco familias inglesas.

En su obra *Heraldry*, de reciente edición, Henry Bedingfeld incluye un hermoso libro de armas de 1520 (aproximadamente) titulado *Ordinary*, cuyo autor fue el heraldo inglés Flower. Allí se ven distintos tipos de escudos ajedrezados, todos de familias nobles inglesas, en donde predominan las combinaciones en gules y blanco y también gules y oro.

CAPITULO II
COMIENZA LA HISTORIA
EL AJEDREZ ARABIGO-PERSA

En un campo cuadrado, bermejo, de cuero
Puesto entre dos amigos generosos,
Los cuales, al evocar la guerra, han elegido
Aquella cosa similar a ella.
Con la diferencia, esto es, de que no os ofenden
Haciendo que la sangre brote.

Recopilado por Al Maçoudi en
LAS PRADERAS DEL ORO

Los *mansubat*

Un hecho adquiere historicidad sólo cuando algún testimonio nos permite reconstruirlo plenamente, o al menos en buena medida. El historiador distingue entre todos los testimonios escritos relativos a ese hecho: *fuentes documentales, relatos de testigos, compendios contemporáneos.* Cuando ha reunido una considerable cantidad de ellos los confronta, los analiza, los desmenuza, juzga la intención de sus autores o refundidores y extrae sus propias conclusiones. Con todo esto construye los cimientos que darán solvencia y estabilidad al posterior edificio crítico de su argumentación.

La época árabe en el juego del ajedrez es su primera fase histórica, pues poseemos la evidencia documental de su práctica (esto no ocurre, lamentablemente, con ninguno de los protoajedreces mencionados en el capítulo anterior). En efecto, hacia el siglo VII de la

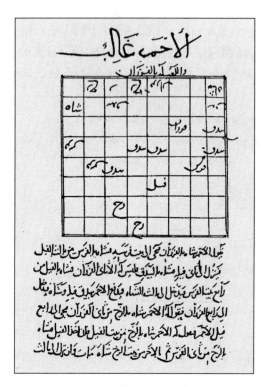

Diagrama con un problema de ajedrez, de un manuscrito árabe.

era cristiana, el ajedrez se vuelve un hecho irrefutablemente histórico, pues los árabes nos han legado una inmensa colección de *finales* de partida, de gran riqueza artística, a los cuales llamaban *mansubat.* En esos tiempos la notación de las movidas era aún muy precaria y engorrosa, ya que se describía con palabras todo el movimiento, y probablemente éste sea el motivo por el cual los árabes no dejaron muchos registros de *partidas* jugadas.

Nos referimos al ajedrez "arábigo-persa", pero, en rigor, deberíamos decir ajedrez "indopersa de tradición islámica", porque la mayor parte del folklore de la India llegó a los árabes a través de los persas y fueron éstos, en combinación con los musulmanes, los que mantuvieron encendida la llama del ajedrez. Como ya vimos, en los remotos orígenes de este juego confluyen las tradiciones indias y persas. Los árabes, de enorme capacidad para aprovechar los productos culturales de otros pueblos, supieron tomarlos y transmitirlos.

Los *mansubat* se proponen como ejercicios, en situaciones donde quedan pocas piezas, que deben rematar la partida. Tal como hoy se hace en libros, diarios y revistas, los *mansubat* presentan posiciones con resolución de mate en un número preciso de movidas, indicando cuál de los dos bandos en pugna habría de alcanzar la victoria o si, por el contrario, la partida debería terminar en tablas.

Algunos de estos *mansubat,* que nos han llegado gracias a las recopilaciones hechas por —entre otros— Al-Lajlaj (Abdul Faraj Muhammad b'Obaidallah), poseen un carácter más arqueológico que ajedrecístico, ya que en algunos casos son insolubles de acuerdo con las actuales reglas, pero nos ilustran sobre las características que poseía el juego en esa etapa de su evolución.

Hay *mansubat* creados por todas las personalidades del mundo musulmán: califas, emires, visires. Se conservan problemas compuestos por el tercero de los hijos de Harum al Raschid, el califa Al-Mutasim de Bagdad, que reinó entre el 833 y el 842. Estas rudimentarias composiciones constituyen la primera gran manifestación cultural del juego del ajedrez.

Las únicas constancias de la práctica del juego que nos han llegado de la Edad Media son los *mansubat*, formas de composición de finales de partidas. La carencia de un sistema de notación útil fue el escollo más difícil para la conservación de partidas, por lo que el final gozó de mayor predicamento y su difusión se hizo mucho más rápida.

A propósito de Al-Lajlaj, uno de los grandes ajedrecistas del mundo árabe clásico, es interesante señalar que una leyenda imaginó a este gran jugador y teórico de aquellos tiempos como hijo de Sissa Ben Dahir, el brahmán que habría sido el inventor del ajedrez.

La mayoría de los *mansubat* están redactados de una manera precaria y van acompañados de los movimientos que conducen a la victoria (o al empate) utilizando un lenguaje simple y un método de narración que consiste en describir cada movimiento citando la pieza que se mueve, la casilla de la que parte, la casilla a la que arriba y su efecto en el desarrollo del *mansuba*, ya fuese la captura de un trebejo adversario o la puesta en jaque del monarca enemigo.

Para reproducir los movimientos, los árabes identificaban a las columnas del tablero por los nombres de las piezas que las ocupaban al inicio de la partida ("de la torre", "del caballo"). Esta nomenclatura también se volvió familiar para el rey español don Alfonso el Sabio, en plena Edad Media, y para los anónimos redactores de los dos principales manuscritos de composición de esa época, el *Bonus Socius* y el *Civis Bononiae*, de los que nos ocupamos más adelante. Los árabes fueron, en buena medida, los maestros que le enseñaron a jugar a Occidente.

A diferencia de lo que luego ocurrió en Europa y más tarde en América, los musulmanes no llamaron a las dos partes que componen cada fuerza *ala del rey* y *ala de la dama*, sino "lado derecho" y "lado izquierdo", desde el punto de vista de las blancas. Esto hacía que las descripciones fueran realmente engorrosas. Veamos un ejemplo. Para describir lo que en moderna notación algebraica sería

C(b4)a2

los musulmanes escribían:

"el caballo que está en la cuarta casa del caballo de la izquierda,
a la segunda casa de la torre".

Sobre la base de ese esquema, la segunda línea horizontal del tablero era la segunda casa de la torre; la segunda del caballo, la segunda del alfil y así sucesivamente, hasta llegar a la octava línea. A su vez, dividían el tablero por la mitad, de modo tal que cada bando numeraba sus piezas tomando como referencia y como coordenadas hasta la cuarta casilla de sus propios trebejos. Lo mismo hacía el adversario, con lo cual, cuando una pieza negra se desplazaba por el ámbito de las rojas —nunca fueron blancas en aquella época, sino rojas—, se tomaba como referencia a las piezas rojas y no a las negras.

Los árabes llegaron a perfeccionar también un sistema de notación que sirvió de base al sirio naturalizado francés Philippe Stamma para desarrollar el actual sistema de notación algebraica, adoptado por los alemanes en el siglo XIX y que hoy es el único reconocido internacionalmente como válido.

La literatura ajedrecística árabe

Junto a las colecciones de problemas que constituyen, como hemos dicho, la primera gran manifestación histórica del juego —ya que de las etapas anteriores sólo quedan vagas referencias—, se encuentran los primeros esbozos de una literatura ajedrecística. Esto permite inferir que a esta altura de su evolución el ajedrez se empieza a constituir en una disciplina más de las cultivadas por el hombre, junto con la filosofía, la literatura, la música o las artes plásticas.

Dos persas jugando. Ilustración
(LONDON ROYAL ASIATIC SOCIETY)

Los árabes produjeron una literatura sobre el ajedrez. Lo prueban no sólo las colecciones de problemas, que solían ir acompañados por elementales normas de táctica y estrategia, sino también libros de enseñanza, con alguna apreciación de carácter moral sobre la licitud del juego y menciones poéticas o histórico-legendarias. Esto ocurre en la enciclopedia de la cultura islámica *Las praderas del oro,* de Al-Maçoudi, y en el libro del poeta Firdawsi, que era persa, pero que estudió la cultura musulmana y compuso el *Shajnamé* o *Libro de los reyes,* una historia de Persia en verso épico en la que se incluyen numerosos pasajes relativos al ajedrez.

De esa época se conserva una decena de obras en forma de manuscrito o *"in folio"*; de ellas, una sola se ha traducido al castellano, en una edición bilingüe español-árabe, y es la que lleva por título *"Libro del ajedrez, de sus problemas y sutilezas"*, de autor árabe desconocido. Fue traducida directamente de su idioma original y es copia de un manuscrito que se conserva en la biblioteca del Museo Británico de Londres, bajo la signatura 7515 y pertenece a la colección Rich. Está datado hacia 1257, pero el original es anterior en un siglo. El padre Félix Pareja Casañas realizó una edición crítica en 1935.

El *firzán*, antecesor de nuestra dama actual, podía mover un casillero por vez, solamente en diagonal. Así tomaba y daba jaque.

Como norma general, la mayoría de los manuscritos están organizados siguiendo el mismo modelo: en primer lugar, una laudatoria a Alá —probablemente para congraciarse con el clero musulmán, que no veía con buenos ojos al juego, en ninguna de sus formas—; luego, una breve introducción histórica, plagada de hechos oscuros y legendarios; a continuación alguna composición poética sobre el juego, una colección de *lances* que se solían decir antes, durante o después del mismo y finalmente el juego propiamente dicho. De todos esos lances perduraron el *jaque* y el *jaque mate*. Se separa la parte didáctica, si la hubiera, de la parte estratégica, del juego de aperturas y de finales. Claro está que no todos estos elementos aparecen en todos los manuscritos estudiados; los que hemos mencionado son los ítemes más señalados por los distintos autores.

Los *mansubat* son presentados siempre de idéntica manera. Sobre un tablero unicolor de sesenta y cuatro casilleros se ubican, escritos en tintas roja y negra (un color para cada bando) los nombres de las piezas, en las casillas que ocupan. Bajo el tablero, el autor describe los movimientos que conducen a la solución, como en cualquier final actual, pero sin contabilizar el juego de ambos contendientes como una movida completa, puesto que cada movida es contada en forma individual, por lo que un *mansuba* de cuatro movimientos resulta, en realidad, de dos.

Junto con el texto y los diagramas de los problemas suelen aparecer, como es común en la literatura de este pueblo, miniaturas preciosamente iluminadas, coloreadas, que reflejan aspectos de la vida de los árabes frente al tablero de sesenta y cuatro casilleros. Sin lugar a duda, la edad de oro del ajedrez árabe coincide con la época del califato Abásida (siglo IX), en la corte de Bagdad, convertida en un nuevo centro del saber, frente al Occidente bárbaro e incivilizado, al mantener ardiendo la antorcha de la cultura y de la ciencia que habían encendido en la Antigüedad otras metrópolis, como Atenas o Alejandría.

El *shatranj*

El *shatranj* es el primer juego histórico, el juego que practicaban los árabes, para el que compusieron toda la importante literatura que acabamos de mencionar y también los problemas o *mansubat,* que figuran en las distintas colecciones. El *shatranj,* cuya voz es la arabización del término persa *chatrang,* como dijimos en el capítulo anterior, se jugó hasta el siglo XV, cuando fue desplazado por el ajedrez actual.

Las piezas carecían de representación animal o humana, puesto que el Corán las prohíbe, ya sean zoo o antropomórficas. Esto llevó a los visitantes extranjeros que recorrieron países de influencia islámica hacia finales del siglo XVIII y mediados del siglo XIX, cuando el ajedrez no tenía aún ni un reglamento internacionalmente válido ni una iconografía de trebejos estandarizada, a decir que las piezas del juego árabe eran lo más parecido a... frascos de perfume.

Gracias a las fuentes arqueológicas, documentales, literarias y didácticas, lo mismo que a los relatos de los viajeros, que recogieron el juego árabe tal como se jugaba en su primera época, hoy podemos hacer algunas afirmaciones acerca de lo que fue el *shatranj*, en teoría y práctica, en el mundo musulmán, hacia finales del siglo X y principios del XI de la era cristiana.

Las reglas del juego

Era un juego muy lento, en el cual no existían ni el enroque ni la dama. El lugar de ésta lo ocupaba un personaje de sexo masculino llamado *firzán,* que actuaba como un *consejero* del monarca. Los peones carecían de la facultad, establecida luego, de mover dos casillas juntas en la salida, esto es, en el primer movimiento. Tampoco podían *tomar al paso,* otro privilegio de la pieza más pobre del tablero, que consiste en capturar a un peón adversario que encuentre en su marcha inicial.

El *firzán,* antecesor de nuestra dama actual, *podía mover un casillero por vez, solamente en diagonal.* Así tomaba y daba jaque. El rey o *sha,* al carecer de enroque, podía saltar hasta la tercera casa en diagonal o realizar el movimiento del caballo, aun pasando por encima de sus propios peones. Esto se podía hacer cuando no había jaque previo o si en el curso del desplazamiento no se pasaba por una casilla gobernada por una pieza contraria.

El *fil* movía en diagonal, pero solamente tres casillas por vez, contando la de partida. Tenía la facultad, hoy perdida, de pasar por encima de otra pieza. Vale decir que un *fil* rojo, ubicado en la casilla a2, no podía ir más allá de c4, sobre la que ejercía su poder de captura o de jaque.

Es interesante seguir la evolución del *alfil.* En el *chaturanga* de los indios había, en la casilla que ahora ocupa la torre, un carro de guerra (en algunas regiones, un barco), que tenía movimiento diagonal: era el *rukh.* A ambos lados del rey y de su consejero, el *firzán,* se encontraba, ocupando la casilla que hoy ocupa el alfil, el *fil,* un elefante. En algún momento indeterminado de la historia cambiaron sus casillas y sus movimientos, pero no sus nombres. Así fue como la pieza que quedó a ambos lados de la pareja real se siguió llamando *fil,* pero retuvo el movimiento del carro de guerra. Éste se fue a las esquinas del tablero, pero se quedó con el desplazamiento rectilíneo, convirtiéndose en *torre.*

La inclusión de la torre en un juego que se caracteriza por la movilidad de las piezas no parece apropiada, ya que un elefante, si bien se mueve lentamente, no es estático. Una torre, que es intrínsecamente inmóvil, no parece representar a la realidad. Los indios, al colocar un carro de guerra, procedieron con más ajuste a ella. El caballo o *faras* movía del mismo modo que en la actualidad. La torre, moviéndose como lo hace hoy, era la pieza más poderosa del tablero.

Lo que hoy llamamos apertura era conocido como *tabiyá.* Aunque carecía de la sofisticación estratégica de la apertura actual, muchos de sus elementos sobrevivieron hasta nuestros días.

No fue sino a mediados del siglo XVIII cuando se estableció la forma actual de ese movimiento excepcional que llamamos *enroque.* En una primera época, esta movida se desdoblaba en dos y no había reglas fijas con respecto a la ubicación del rey y la torre, que muchas veces eran colocados de acuerdo con la voluntad del jugador. En todos los casos, el objetivo final del juego era inmovilizar al rey mediante el jaque mate.

Todo peón que llegaba hasta la octava línea del tablero se transformaba en *firzán,* y como nuevo *firzán* tenía la posibilidad de saltar tres casillas hacia atrás, movida que se llamaba el *salto de la alegría.* La coronación solamente se realizaba si el *firzán* original había sido capturado durante el juego. El peón no podía metamorfosearse en ninguna otra pieza, ni existente ni perdida.

Los árabes llamaron *muwárik* al peón coronado que circulaba por diagonales iguales a la original, y *mukhálif,* al que lo hacía por diagonales distintas. Debe recordarse siempre que el tablero era unicolor; por eso había que aclarar a qué diagonal se referían.

Lo que hoy llamamos apertura era conocido como *tabiyá.* Aunque carecía de la sofisticación estratégica de la apertura actual, muchos de sus elementos sobrevivieron hasta nuestros días. Las *tabiyá* eran maniobras de *atrincheramiento* realizadas con el objetivo de prepararse para el ataque o la defensa y constaban de una serie de movimientos individuales libres que cada jugador hacía de acuerdo con su propia estrategia ofensivo-defensiva.

Esos movimientos se hacían, por lo general, con la estricta condición de no ingresar nunca en campo enemigo, aunque se han podido constatar excepciones. Las *tabiyá* llevaban por lo general nombres rimbombantes y poéticos, que poco y nada tenían que ver con el ajedrez. Una de las más conocidas y practicadas era la que llevaba por nombre *tabiyá del peón torrente*. Una vez concluidos esos ocho o nueve movimientos iniciales (hay de doce), comenzaba el juego propiamente dicho.

Consultados con relación a esta particular forma de abrir el juego, muchos jugadores contemporáneos respondieron que no veían grandes diferencias con lo que se hace en la actualidad y que su práctica no lo altera sustancialmente. El único inconveniente observado por los maestros radica en el hecho de que al abrir el juego de esta manera no se pueden poner en práctica los planteamientos relativos a gambitos y contragambitos, en las aperturas cerradas, o en aquellos juegos en los que hay intercambio de piezas.

Es probable que esta práctica de la *tabiyá* se haya circunscrito al escenario geográfico de los árabes. En el libro del rey Alfonso X el Sabio no se hace mención de las aperturas, ni aparece en él elemento alguno que confirme su práctica en la España cristiana medieval. Todo hace pensar que la forma de jugar en Sevilla hacia 1280 —fecha de composición del manuscrito del Rey— es la misma que la nuestra en el sentido de que se hace un movimiento por jugador, iniciando la partida las blancas o las rojas, indistintamente.

Desde el comienzo de la partida, las piezas se guardaban en un paño, o pedazo de cuero, que se hallaba dividido en sesenta y cuatro casilleros. Para jugar lo extendían en el suelo y disponían las piezas sobre él en el momento del inicio.

En la actualidad, las damas y los reyes se encuentran enfrentados al comenzar el juego, ocupando las casillas **d1**, **e1**, **d8**, **e8**. Los reyes están en casilla contraria a la de su color y las damas en la propia. En el mundo musulmán, era práctica común ubicarlos cruzados entre sí, de modo tal que el *firzán* rojo estaba enfrentado al *sha* negro y viceversa.

Dada la lentitud de movimientos de algunas de las piezas, como el *fil* y el *firzán*, no era nada sencillo ganar por jaque mate. Existían, a raíz de esto, varias formas de obtener la victoria:

1) por *jaque mate* (la forma que en la actualidad es la única aceptada como válida para derrotar al adversario, además del abandono);
2) por *rey robado*, lo que equivale a despojado de todas sus piezas, y
3) por *rey ahogado*, lo que hoy corresponde a tablas o empate.

Entre los árabes se consideraba una media victoria del jugador que entablaba (algo así como si del punto que está en disputa se le diese medio al jugador que ahoga y nada al adversario).

Los jugadores

El ajedrez se volvió un preferido de las grandes figuras islámicas de la época y ganó los harenes reales. Los califas, sultanes y emires de todo el mundo musulmán jugaban al ajedrez con sus esposas y concubinas rodeando el tablero (o paño) entre sedas, tules, insinuantes caderas en perpetua ondulación y el dulce sonido de las flautas y chirimías. Embriagados por suaves melodías, solían enseñarles el juego a sus mujeres y aceptaban sus opiniones a la hora del enfrentamiento con algún rival ocasional.

Este es el caso del problema de Dilaram. Dilaram ("alegría del corazón") era la preferida del califa, y éste había sido desafiado al ajedrez por otro príncipe, que la pretendía. Después de haber perdido casi todos sus bienes, el califa jugó la mujer, cosa que el rival

EL PROBLEMA DE DILARAM

Dilaram sugiere a su señor la solución que le permite ganar la partida y evitar, de esa manera, pasar a manos de su rival. Presentamos ahora la posición inicial del juego, según se desprende de un manuscrito árabe del año 1140, y después los movimientos que conducen al triunfo, tras el espectacular sacrificio de las dos torres del blanco.

Posición 1: La posición inicial.
Blancas: **Th1, Ah3, Th4, Cg4, Pg6, Pf6, Ra4.** (Total siete piezas)
Negras: **Tb2, Tb8, Cc4, Rg8.** (Total cuatro piezas)
Total: once piezas.

Posición 2: El blanco lleva su torre de **h4** hasta **h8**, dando jaque. El rey negro tiene una única movida: tomar la torre.

Posición 3: El blanco juega el alfil, y lo hace saltar, haciendo uso de la prerrogativa que esta pieza antes tenía, hasta la casilla **f5**. La otra torre del blanco da jaque al rey negro.

Posición 4: El rey negro tiene una única movida posible, a la casilla **g8**.

Posición 5: El blanco da nuevamente jaque en **h8**, con la torre que le queda.

Posición 6: El rey negro debe tomar la torre del adversario.

Posición 7: El blanco avanza su peón de caballo hasta la séptima casilla, dando jaque.

Posición 8: El rey negro vuelve a la casilla anterior.

Posición 9: El blanco da mate llevando su caballo a la casilla **h6** (6 de la torre).

aceptó de buen grado. Cuando el califa se sentía perdido, la fiel Dilaram, que no deseaba pasar a manos de otro hombre, se le acercó y le susurró : *"No me sacrifiquéis, mi señor, sacrificad más bien tus torres y me conservarás obteniendo la victoria."* El califa hizo lo que Dilaram le había sugerido y fue un gran placer para él ganar la partida y retener a su hermosa, fiel e inteligente querida.

Los árabes no jugaban al ajedrez en silencio, por lo menos en los primeros tiempos. El silencio que reina junto al tablero en la actualidad es algo puramente moderno. Ni los árabes, ni la Edad Media asociaron nunca ajedrez con silencio. Cuando una pareja de jugadores se enfrentaba en un arrabal de Bagdad o Damasco, en la Córdoba musulmana, en la calle o en el zoco, solía formarse a su alrededor un grupo de aficionados o jugadores, que comentaban la partida, o proponían movimientos, sin que se viese esto como algo negativo.

Existían distintos niveles de juego, como así también distintos tipos de ajedrez. Los niveles estaban dados por la fuerza ajedrecística de los contendientes. Sobre la base de eso se determinaba cuáles deberían ser las ventajas que un jugador más fuerte debería dar a uno más débil; algo que se hizo muy familiar cuando los grandes campeones desafiaban a sus rivales, ofreciendo peón u otras piezas de ventaja y el primer movimiento.

Los árabes inventaron y desarrollaron lo que luego se dio en llamar *juego a la ciega* y *partidas simultáneas.* Es conocida la historia del sarraceno que viajaba por Florencia desafiando a algunos jugadores mediocres y a los mejores de la zona. Los derrotó jugando contra tres o cuatro adversarios al mismo tiempo. También se jugaba sin ver el tablero, *a la ciega,* vale decir, dándole la espalda al rival. Esta es una costumbre que se hizo muy popular luego y que todo grande del tablero practicó alguna vez.

Giovanni Villani nos da el dato exacto: "En estos tiempos (1266), anduvo por Florencia un sarraceno que se llamaba Buzzeca, el mejor jugador de ajedrez que se encontrase y en el Palacio del Pueblo, frente al conde Guido Novello, jugó una hora partidas simultáneas con tres de los mejores maestros del juego de Florencia; jugando con dos mentalmente y con el tercero a ojos vista. A dos los venció y con el tercero selló tablas, cosa que fue tenida por gran maravilla".

El ajedrez
y la cultura musulmana

Los árabes hicieron un culto del tablero, pese a las discutibles apreciaciones del señor Brunet y Bellet, que intenta demostrar que los musulmanes aprendieron este juego en tierras ibéricas. Los árabes, verdaderos difusores del juego, cultivaron las artes, tradujeron a los clásicos griegos y latinos, rejuvenecieron a la ciencia helénica, adormecida durante el largo letargo de la primera Edad Media, hicieron observaciones sobre la botánica, la farmacopea, la medicina y también acerca del arte de amar o erotología. Los grandes ajedrecistas árabes se cuentan por decenas. Entre los más importantes jugadores árabes se cuentan el ya citado Al-Lajlaj, además de as-Suli, Al-Adli, Buzzeca el Sarraceno, Omar de Bagdad, Al-Ari, Mustasin Billah y otros más.

Al igual que otros pueblos de Oriente que cultivaron el ajedrez, los árabes no conocieron el escaqueado, como se puede apreciar en las láminas que acompañan este libro. Por eso carecían de alfiles divididos por color, ya que ambos circulaban por diagonales idénticas. Los *firzanes* nunca se podían encontrar, porque se desplazaban por diagonales distintas y jamás cambiaban de diagonal. Distinto era el caso cuando se trataba de una pieza de promoción, al alcanzar la octava casilla.

La coronación de un *baidak* o peón en *firzán* entrañaba sus riesgos, pues era menester cerciorarse de que en su marcha hacia la octava línea del tablero no pasara por una casilla gobernada por alguno de los alfiles. Al ser el tablero uniforme, había que aguzar la vista y determinar, antes de mover, si alguno de los alfiles, en su limitado movimiento, podía dar cuenta del *baidak* y frustrar los planes de coronación.

Los árabes inventaron y desarrollaron lo que luego se dio en llamar *juego a la ciega y partidas simultáneas.*

Este juego sobrevivió con sus reglas casi intactas hasta las postrimerías del siglo XV. No se puede afirmar que los árabes hayan dado pie al ajedrez científico, pero hicieron una difusión del juego, no sólo en el ámbito de sus pueblos dominados y conquistados, sino también en todo el Occidente medieval cristiano, que aprendió a jugarlo y a componer finales y problemas a partir de sus enseñanzas.

Al contrario de lo que ocurrió luego en Europa, el ajedrez dio a los árabes una posibilidad para la tertulia intelectual, un juego para agilizar la mente y los sentidos. El ajedrez es, como dice el poema que encabeza este capítulo, una batalla sin gritos, sin lanzazos ni estocadas, sin espada ni cimitarra, pero sutil, inteligente, excelsa, en todo parecida a una obra de arte, a una alta manifestación del espíritu.

Así lo entendieron ellos, que en sus *Mil noches y una noches* supieron balancear con exactitud los opuestos, logrando una exquisita síntesis. Sirviéndose del modelo helénico, que tan bien conocían, llegaron a alcanzar el equilibrio entre euforia y serenidad, entre *hybris* y *sophrosyne*, entre presencia activa y contemplación pura, entre fanatismo y ecumenismo.

Su juego, el *shatranj*, nació en la India y fue sepultado en Europa, casi en los albores del Renacimiento, que transformó al juego viejo en algo más dinánico y potente y creó una escuela ajedrecística, la *antigua,* cuyos maestros más representativos son, precisamente, hombres de esa época. Sin embargo, los árabes pasaron a la posteridad no solamente por haber hecho de este juego algo histórico, sino por el maravilloso tributo que le ofrecieron al descubrir, incipientemente, sus magníficas posibilidades.

CAPITULO III

EL ARRIBO A OCCIDENTE

Asser quadratus, vario colore notatus.
(Tablero cuadrado, con distintos colores marcado.)

Thomas Hyde
MANDRAGORIAS

El ajedrez en la Edad Media

Y finalmente el ajedrez llega a Occidente. Una cronología creíble relativa a la introducción nos ubicaría, para Occidente, entre mediados del siglo X y mediados del XI. Para el Oriente bizantino, desde mediados del siglo IX a mediados del siglo X. Tales serían las fechas estimables como más ciertas.

No sabemos con precisión cuándo, pero seguramente antes del siglo XI ya se encontraba difundido en buena parte de Europa. Durante mucho tiempo se insistió en torno de la posibilidad de que los francos del Imperio carolingio ya lo conocieran o lo practicaran, aunque nada hay de seguro en ello, con la excepción del juego que supuestamente el califa Harum Al Raschid habría enviado como presente al soberano junto con otros regalos, como parte de un plan de buenas relaciones entre ambos jefes.

Las piezas de ese juego se hallaban originalmente en la abadía de San Denis. En la historia de dicha abadía, compuesta por Jacques

Doublet y publicada en 1625, se hace referencia a su extravío por muchos años. Las piezas están grabadas, en su base, con caracteres árabes. Twiss, quien vio el juego en 1787, dice que para esa fecha había en la abadía quince piezas mayores y un peón, todos de marfil. La tesis más confiable supone que se trata de la obra de un griego oriundo de Constantinopla.

El juego incluye entre sus piezas una figura femenina, por lo que de ningún modo pudo haber sido elaborado por un musulmán, no sólo porque éstos nunca tuvieron esa pieza sino porque los árabes tienen prohibida la representación de figuras, ya humanas, ya animales. El envío se produjo poco después de la coronación de Carlomagno —en la Navidad del 800— y pudo tratarse de un regalo para su boda con Irene, la emperatriz de Bizancio (actual Estambul, en Turquía), que nunca se realizó. Forbes opina que la dama, como pieza de ajedrez, llega a Occidente con el juego que Carlomagno recibiera como obsequio.

Philidor ya sabía, en 1749, que el ajedrez guardado en la abadía de San Denis había pertenecido al más grande emperador de los francos. Este sería el tablero más antiguo ingresado en Occidente, pero existen otros, corroborados por referencias comprobables, como el testamento del conde de Urgel, quien legó al convento de dicha ciudad catalana, en el año 1010, su tablero con todas las piezas, según lo certifica un documento que se conserva en la actualidad en el Archivo Histórico de la Corona de Aragón.

En 1056 tenemos otro documento interesante; se trata del testamento de la condesa Ermersindis, mujer del conde Berenguer III, quien en su lecho de muerte cedió a la iglesia de San Egidio de Nimes *"suos schacos cristalinos ad tabulam"*, esto es, el tablero con las piezas. La práctica de ceder juegos de ajedrez como bienes testamentarios se hizo muy común a lo largo de la Edad Media. El profesor Murray llegó a contar más de un centenar de testamentos, en distintas partes de Europa, de personajes importantes que ceden sus piezas y tableros para salvación de sus almas y diversión de los santos en los cielos.

Tal vez uno de los documentos más importantes sea el del rey Martín El Humano, de 1410, en el que se encuentran tres carillas dedicadas a tableros y piezas de ajedrez de distintos materiales. Casi se puede decir que este rey fue un coleccionista en lo que a juegos de ajedrez respecta.

La segunda gran incorporación es el escaqueado; vale decir la alternancia de casillas claras y oscuras, o claras y rojas o rojas y negras.

Ya pasada la primera mitad del siglo XI, el documento que más nos interesa es la valiosísima *Carta de Damiani*, arzobispo de Ostia, quien en 1061 escribió al Papa Alejandro II dándole cuenta del castigo que había impuesto a un prelado de su diócesis que se entretenía jugando al ajedrez. De esto deducimos que para esa fecha el juego de los escaques había prendido entre la clerecía y se hallaba ampliamente difundido en el mundo medieval.

Sin embargo, la conciencia ajedrecística tardó bastante en germinar en las mentes medievales. Prueba de ello es que la bibliografía, en lo que específicamente hace al juego, es escueta. En su mayoría se trata de composiciones de carácter literario; poemas épicos en francés antiguo, en alemán, en anglosajón u otros idiomas, en los que se da cuenta del carácter extremadamente bélico que los medievales dieron a este juego, mucho más todavía que los árabes. De hecho, el ajedrez era, en España y en otros países del Occidente medieval cristiano, una de las disciplinas que debía cultivar el futuro caballero, junto con los deportes ecuestres, la caza y la buena lectura (como las Sagradas Escrituras).

La literatura medieval sobre ajedrez es, por lo general, de carácter didáctico. Su objetivo es la enseñanza del juego, en algunos de los casos, pero desarrollado en verso épico latino, el metro medieval por excelencia.

Una de las historias tejidas en torno a la introducción del ajedrez en Europa que aparenta tener más visos de realidad es la que involucra a la corte de Bizancio, en tiempos de los emperadores Nicéforo y Alejo Commeno. Del primero poseemos un documento relativo a sus relaciones con el califa Harum Al Raschid, que nunca fueron del todo buenas. Del segundo poseemos una biografía, titulada *Alexíada*, compuesta por su hija Ana (1080-1118) en homenaje a su padre, en la que nos lo muestra como un hábil jugador de ajedrez.

Estos documentos nos permiten inferir que el mundo bizantino había conocido el ajedrez mucho antes que el Occidente medieval cristiano. Es probable que el *zatrikión* griego del que habla Souterus, y que mencionábamos en nuestro primer capítulo, sea una derivación del *chatrang* de los persas. Los gobernantes persas mantuvieron relaciones diplomáticas muy fluidas con Bizancio.

Una interesante comprobación histórica de la penetración del juego en el mundo bizantino es, por varios motivos, la famosa *Carta de Harum Al Raschid a Nicéforo*, que aparece en los *Anales de los Musulmanes*, del

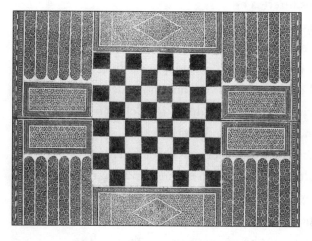

Tablero persa, 1900.

historiador Abu-l-Feda. En primer lugar, está asociada a un cuadro general de agresiones entre ambas representaciones diplomáticas, y la agresividad es un ingrediente que puede aparecer en el ajedrez, aunque en forma mesurada y poética. En segundo lugar, las asociaciones con los trebejos son precisas, lo que no permitiría albergar ningún tipo de dudas de que el juego aludido es el ajedrez. La carta dice textualmente: *"De Nicéforo, emperador de los romanos, a Harum, soberano de los árabes. La emperatriz, cuyo lugar he ocupado yo, os consideraba como una torre y a sí misma como simple peón, por eso se sometió a pagaros un tributo doble del que ella debería haber sacado de vos"*. La contestación de Harum, escrita en el reverso mismo de la carta de Nicéforo fue: *"En el nombre de Dios misericordioso, de Harum, vicario del profeta, al perro romano Nicéforo; he leído tu epístola, hijo de mujer infiel; mi respuesta la verás, no la oirás".* E inmediatamente invadió el territorio del Imperio, devastando la ciudad de Heraclea.

Al hacer su irrupción en Occidente, el ajedrez llega en las mismas condiciones en las que se hallaba difundido en el mundo musulmán. La primera gran transformación que se opera en el ámbito de la Europa medieval pasa por el tablero. No debemos olvidar que los árabes lo jugaban sobre un trozo de paño dividido en sesenta y cuatro casilleros. Que el tablero, entendido como tabla, es medieval, es una cuestión fácilmente corroborable, si se tiene en cuenta que en la mayoría de los testamentos y en los inventarios de bienes testamentados la palabra *tabula*, asociada al juego en general y al ajedrez en particular, se reitera a menudo.

La segunda gran incorporación es el escaqueado; vale decir la alternancia de casillas claras y oscuras, o claras y rojas o rojas y negras, que si no cambia radicalmente el juego torna obsoletas algunas prácticas musulmanas, a la vez que crea alfiles de colores distintos en ambos bandos, los que no existían hasta su introducción.

¿Cuándo el tablero dejó de ser unicolor y pasó a ser escaqueado o ajedrezado? Tenemos una precisa alusión en una composición lírica del año 1100, aproximadamente, procedente del Sacro Imperio Romano Germánico, que se titula *Einsiedeln Poem* y que afirma que el tablero *nuevo* simplifica el cálculo de los movimientos, permite descubrir errores o movimientos falsos y ayuda a determinar si un peón tiene posibilidades de coronar o no (recordemos que éste era, precisamente, uno de los temas que más preocupaban a los teóricos árabes).

Con respecto a la regla sobre la colocación del tablero, al inicio de la partida, debemos recordar que actualmente la casilla **h1** debe ser blanca, por convención internacional, para la correcta ubicación de los reyes y las damas, a fin de que el ala del rey, vista desde las piezas blancas, quede siempre a la izquierda y el ala de la dama, a la derecha. Pero cuando el tablero se coloreó, era común que h1 fuera negra. Si h1 es negra, los reyes ocupan una casilla de su color y las damas, casilla contraria.

Pensemos en los tableros macizos, de madera, sin la clásica división al medio que tenían los de cartón duro. La división en éstos respeta la regla según la cual la casilla h1 ha de ser blanca. En los tableros de madera disponíamos las piezas sin respetar esa regla y no entendíamos por qué nos quedaban las reinas y los reyes mal colocados, hasta que algún amigo mayor, con más experiencia, nos señalaba que el error estaba en la colocación del tablero. Entonces lo girábamos, con lo cual h1 pasaba a ser blanca, y la pareja real quedaba en su lugar correcto.

Del *firzán* a la dama

La metamorfosis del *firzán* en dama está ligada a la condición de la mujer en Oriente y en Occidente. Una pieza como la *dama* o *reina*, claro producto del amor cortés y la poesía trovadoresca, sólo pudo haber sido moldeada en el Occidente medieval cristiano, con su alta cuota de represión sexual. En Oriente, a la dama no se la ensalza; se la goza, se disfrutan con ella los placeres de la carne, sin culpa alguna, sin perdón ni arrepentimiento.

En Oriente, y más precisamente en el mundo musulmán, la mujer estuvo relegada y postergada. La religión islámica no disponía nada contra la poligamia, más allá de las barreras económicas. La mujer era algo que se compraba y se vendía, y carecía de toda participación, no sólo en política, sino también en la vida comercial y de los negocios. Un magnate musulmán tenía muchas esposas, todas las que sus recursos le permitiesen mantener, e igual número de concubinas y esclavas. Ni la literatura, ni las artes plásticas, ni el pensamiento árabes fueron ajenos a esta realidad, y una importante cuota de erotismo está presente en toda la vida musulmana. Mal podía aparecer una figura femenina ocupando un papel importante, ni siquiera en un juego, en un mundo en el que la mujer no era más que un juguete de placer o un medio de reproducción, hábil para dar a luz jóvenes guerreros —no mujeres: el nacimiento de una niña era visto como una desgracia familiar, sobre todo en las familias pobres, puesto que estaba condenada, casi desde su nacimiento, a ser vendida como esclava, ya que nadie se ocuparía de ella.

En cambio en Occidente, en los tiempos de doña Leonor de Aquitania (siglo XII) la figura femenina se agiganta. Se crean los tan discutidos *Tribunales de Amor,* donde se sancionan los códigos que entre otras cosas establecen que una mujer puede ser cortejada por dos enamorados a la vez y, para decirlo con términos que corresponden a otro juego, ella tiene el *quiero* y resolverá cuál de los dos enamorados ha sido el más galante, cuál merece que se le retribuya en la medida en que dio. Durante mucho tiempo se dudó de la existencia real de estos tribunales; sin embargo, Jacques Lafitte Housot, destacado medievalista francés, en un libro titulado *Trovadores y cortes de amor,* intentó demostrar y en buena medida lo logró, la existencia real de las actas de estos juicios de amor, presididos por la soberana, en los que ésta aparece actuando como jueza y resolviendo pleitos.

En su paso a Occidente, los nombres de las piezas no fueron traducidos directamente del persa o del árabe al latín o a las lenguas vernáculas sino que se fueron amoldando a la nueva geografía que las cobijaba.

Etimológicamente, el proceso operado en el caso específico de la dama, hizo que de *firzán* se pasase a *alferza,* nombre que le da el rey Alfonso el Sabio en su célebre manuscrito ajedrecístico. Al latinizarse, esta voz se transforma en *fercia*, con lo que se da el paso clave para su metamorfosis sexual, ya que el *alferza* de Alfonso seguía siendo un personaje de sexo masculino. Los franceses hicieron *fierce* y más tarde *vierge* (virgen), asociándola con la Virgen María, con lo cual ya había cambiado de sexo. Las obras en latín la bautizaron *regina*, en parte porque la Virgen María es la Reina del Cielo, o *Regina Coeli*, y en parte porque en la mayoría de las monarquías medievales la reina ocupaba un lugar importante.

Los medievales sólo podían entender un juego como el ajedrez siempre y cuando, junto al rey, se encontrase la figura de la reina. Ella es regente de sus hijos menores de edad, hasta que estén en condiciones de hacerse cargo del trono; ella gobierna, toma decisiones, hace la guerra, hace el amor (con el rey o, en ausencia del rey, con algún gentilhombre dispuesto que hubiere en la Corte). En otras palabras, es un personaje importante y la compañía indiscutida del rey.

En algunas regiones de Europa al rey se lo llamó *dominus* o *señor*, también por influencia religiosa; por lo tanto la reina fue llamada *domina*, fundamentalmente en tierras itálicas, de lo que fácilmen-

*Christine de Pisan presenta a la reina Isabel de Baviera un manuscrito de sus poemas. (*LONDRES, BRITISH LIBRARY*). En Occidente, la figura de la mujer empieza a ocupar lugares antes sólo reservados a los hombres.*

te se pasó a *donna* o *señora*, de lo que derivó *dama*. Muy probablemente los españoles empezaron a llamar *dama* a esta pieza por influencia itálica, promediando el siglo XVI, que fue una época de intercambio fluido entre las dos penínsulas.

Así es como se operó una de las transformaciones cruciales en la historia del ajedrez y el *farzín* de los persas, hecho *firzán* por los árabes, de sexo masculino, lento y de poca importancia en el tablero, vino a resultar la dama ágil, maliciosa, pícara y desenfrenada, capaz de ir de una punta a la otra del tablero en unos pocos movimientos, reuniendo el andar de los dos alfiles y el de la torre.

Vías de penetración

En tiempos del sultán Hakán II (siglo IX), el ajedrez era practicado por moros, moriscos y mozárabes. Durante el califato de Bagdad, cuando los ministros de la España conquistada tenían su autoridad central en esa gran urbe, el ajedrez y la cultura islámica llegaron a su cumbre y se difundieron ampliamente por toda la península.

El mundo occidental recibe el ajedrez a través de diversas vías: los árabes y los invasores sarracenos, para el caso de las penínsulas hispánica e itálica, y las Cruzadas, que permiten el encuentro entre mundos distanciados cultural y geográficamente, con distintas maneras de entender la vida.

La España mora juega al ajedrez

La España musulmana jugó al ajedrez mucho antes que el resto de Europa, cuando era una cuña árabe en el continente europeo que perduró siete siglos hasta la expulsión de los invasores por los Reyes Católicos, poco antes del descubrimiento de América.

El ajedrez era ampliamente practicado en toda la región por moros, moriscos y mozárabes. Prueba de ello es el códice que sobre el ajedrez compusiera el rey Alfonso X de Castilla, conservado en el Palacio del Escorial. Esta magnífica obra, que según los investigadores es refundición y traducción de un tratado árabe, contiene 103 problemas, de los cuales 89 son *mansubat*, en algunos casos mal transcriptos.

Los cruzados

Otra de las probables vías de acceso del ajedrez en Europa fueron las Cruzadas. El monje Roberto de San Remy compuso en 1099 una historia de la toma de Jerusalén por Godofredo de Bouillon en la que cuenta que los príncipes *babilónicos* (por referencia a la Biblia) lo usaban como *passetemps*. La gesta militar predicada por Urbano II en el Concilio de Clermont Ferrand, del año 1096, había servido para que el juego completase su difusión occidental.

De hecho, muchos de los soldados de Bouillon tomaron contacto, además del ajedrez, con las *impías, herejes y ardientes mujeres mediorientales*, no teniendo ninguna objeción o inconveniente en quedarse en las guarniciones que custodiaban la bien amurallada ciudad de Edesa, capital del reino neolatino de Jerusalén, un enclave cristiano fundado por ellos en el corazón del Oriente medio.

Al parecer, los sajones recibieron el juego de los daneses, en tiempos del rey Athelstan, entre el 925 y el 940, quienes a su vez lo habían conocido, probablemente, de los rusos, vía Bizancio. Snorri Sturluson da cuenta del interés que tenía el rey de Inglaterra, Canuto el Grande, por este juego.

El ajedrez entró en Inglaterra en tiempos del rey Guillermo el

Conquistador. Este monarca pretendía la corona inglesa, a la cual también aspiraba un señor noble, Harold. El rey San Eduardo el Confesor muere y Harold se apodera del trono, provocando la invasión de la isla. Tras la batalla de Hastings, en 1066, Guillermo se hace proclamar rey de Inglaterra. Este sería el momento en el que el ajedrez entra en Inglaterra.

Teoría y práctica del ajedrez medieval

Las tres manifestaciones mayores de la literatura medieval sobre el ajedrez, que nos permiten recrear la manera en que se lo jugaba hasta mediados del siglo XV, son el códice alfonsino, el *Bonus Socius* y el *Civis Bononiæ*.

Los medievales sólo podían entender un juego como el ajedrez siempre y cuando, junto al rey, se encontrase la figura de la reina.

El códice alfonsino es una recopilación de todo lo que la España cristiana aprendió sobre el ajedrez de la España musulmana. Se describe allí el juego árabe, con la salvedad de que el *firzán* pasa a ser el *alferza,* aunque conservando su sexo masculino.

El juego estaba prácticamente consolidado hacia 1210 en todo el horizonte cristiano occidental y, como ya vimos, se lo consideraba parte del bagaje de conocimientos y destrezas que debía poseer un caballero para ser considerado como tal.

Cierta literatura nos confirma que el ajedrez era practicado por los judíos en los guetos, en las ciudades-estado italianas. También era, como lo hemos mostrado antes, materia de diversión propuesta por juglares, ministriles y bufones, quienes iban por las calles dando cabriolas, rodeados de perritos falderos, haciendo malabarismos, a la vez que proponían al eventual auditorio problemas de ajedrez, algunos de los cuales incluían trampas para timar a incautos. Estos eran los llamados *problemas de apostar*. Solubles, si se reacomodan las piezas; insolubles según el ordenamiento inicial.

La Edad Media ha producido materiales del mayor interés para el análisis. Cada país, cada región, cada ciudad del universo feudal ha generado su *variante regional* del juego. Las ciudades italianas, por ejemplo, desarrollaron distintas formas de jugar al ajedrez: así se ha hablado de las variantes calabresa, florentina, lombarda, etc., y también de las variedades francesa, inglesa, germana y otras.

Las cuestiones más proclives a ser objeto de diferencias, de región en región y de país en país, son las que ya habían discutido los árabes, uno o dos siglos atrás, pero también aparecen nuevos problemas. Estos tienen que ver con la coloración de la casilla h1, lo que

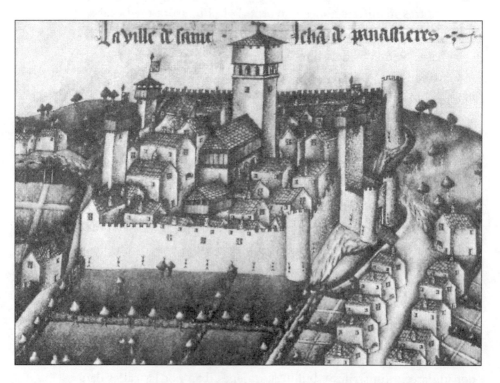

En las ciudades medievales floreció el ajedrez.

ARMORIAL (LIBROS DE ARMAS Y BLASONES).

se relaciona con la ubicación de la pareja real. También se discuten aspectos relativos a la transformación que debe sufrir un peón cuando llega a la octava casilla, o las condiciones en las cuales una partida es tablas.

De algunas de estas maneras de jugar que estuvieron en auge en Europa durante la Edad Media nos han quedado testimonios literarios. La escuela española o ibérica está representada por el citado códice alfonsino (fines del siglo XIII) y por el poema del hispano-hebreo Abraham Ben Ezrá. La escuela lombarda aparece en un libro del dominico Jacobus de Cessolis, que analizaremos luego.

Dada la multiplicidad de las variantes regionales, los jueces de las universidades lombardas establecieron que todas eran válidas, pero que a la hora de enfrentarse contrincantes de diferentes estilos o maneras de jugar se debían aceptar como reglas las adoptadas por el país auspiciante del encuentro.

Guido de Baysios, en su *Rosarium decreti* dice: "El juego del ajedrez debe mantener la costumbre del lugar en que se juega", una clara defensa de lo regional ante una internacionalización que crece de muy visible manera. Además, implica el reconocimiento tácito de la difusión social y geográfica del ajedrez en toda Europa. Algunas de estas variantes anuncian lo que será, en el temprano Renacimiento, el *juego nuevo*. Así se habla de los saltos de dama y rey, de la primera movida del peón, de su facultad de tomar o no al paso, etcétera.

En las tablas por ahogado, tan comunes en la actualidad, sobre todo en jugadores no muy expertos, se adjudica medio punto para cada jugador. En Inglaterra, y hasta bien entrado el siglo XIX, se consideraba un triunfo del rey ahogado porque: "El que ha puesto al rey de su adversario en situación de tablas pierde el juego, porque ha entorpecido el transcurso de la partida que sólo puede finalizar con el gran jaque mate". Y esto se conocía en toda Europa como *to win ad English style* (ganar a la inglesa).

En el ajedrez medieval, al igual que en el de los árabes, la torre y el caballo eran las piezas de mayor fuerza. Se conocían muy pocas aperturas y no existían tratados sobre el tema. Las aperturas eran en su mayoría del tipo abierto, del peón del rey o del peón de la dama, pero esta última estaba más de moda.

El mate dado en una esquina del tablero era el preferido, puesto que el rey ubicado en **a1**, **a8**, **h1** o **h8** tiene menos posibilidades de escapatoria. La mentalidad medieval, posiblemente, entendía que se podía humillar más a un personaje de rango real en aquel lugar donde más vulnerable se volvía.

Al igual que en el ajedrez árabe, no existía el silencio. Las partidas eran ostensiblemente comentadas por el público presente, junto a los jugadores, a los que se hacían sugerencias y cuyas movidas se ponderaban o vituperaban.

Guiron de Courtois, **El Juego del Ajedrez** (c. 1370 - 1380)

CAPITULO IV
LA LITERATURA
AJEDRECISTICA MEDIEVAL

El rey puede tomar a todos
e ninguno non puede tomar a él.

Alfonso X, el Sabio
LIBRO DEL ACEDREX, DADOS E TABLAS

La literatura didáctica

Muchos manuscritos, diseminados a lo largo y a lo ancho de Europa, tienen como propósito la enseñanza del juego. Algunos de ellos son particularmente interesantes porque permiten visualizar variantes y regionalismos no practicados en otras latitudes. De su comparación surgen testimonios que son esclarecedores a la hora de seguir el curso de la evolución de este juego.

El primero y más antiguo de estos trabajos es el llamado *Einsiedeln*. Procedente del sur de Alemania, el manuscrito más remoto de esta obra es de mediados del siglo XI. Su elaboración fue casi simultánea con la aparición del ajedrez en Occidente. Es uno de los primeros testimonios para rastrear la introducción del escaqueado.

De Inglaterra proceden el *Winchester Poem*, cuyo manuscrito más antiguo es de mediados del siglo XII y el *De Scaccis*, que a diferencia de los anteriores posee autor conocido: Alexander Neckam. Su elaboración es de 1180, aproximadamente. Cierran el siglo XII, en lo que a literatura didáctica se refiere, el *Codex Benedictbeuren*, procedente de Alemania, y la elegía *Qui Cupit*, de origen incierto.

Estas obras hacen alusión a los movimientos en general, a las distintas maneras de obtener la victoria, a las aperturas, a las movidas excepcionales, y a otras cuestiones por el estilo. Tal vez la más interesante de todas sea *De Scaccis*, de Neckam, porque presenta una breve introducción en la cual da por inventor del ajedrez al griego Ulises, lo que dista mucho de la realidad histórica del juego, pero constituye un primer planteamiento en ese sentido.

Además de Ulises, la Edad Media les atribuyó a otros personajes la invención del juego, todos ellos dentro del espectro de la cultura grecolatina. Así fueron señalados como probables creadores, el filósofo greco-caldeo Xerxes, llamado Philometer por los griegos, el rey Attalus Asiaticus, el pelazgo Palamedes, como señalábamos en el primer capítulo, que habría inventado este juego durante el largo sitio de Troya; el rey Lido, el dios egipcio Tot o algún griego famoso, como Aristóteles o Sócrates, entre otros.

El *Libro de los juegos*, de Alfonso X

Desde el comienzo de esta obra nos hemos referido de manera tangencial a este magnífico manuscrito del siglo XIII, que puede ser considerado uno de los monumentos ajedrecísticos más importantes de la historia.

Tanto para la afición ajedrecística mundial como para la humanidad toda el *Libro de los juegos* del rey Alfonso es un tesoro, una exquisita síntesis de dos mundos en guerra, de dos maneras diferentes de entender la vida, en un momento crucial para la historia de la civilización. Cristianos y moros, en una convivencia pacífica, dejan de lado sus centenarias disputas y deponen sus armas para sentarse frente al tablero de sesenta y cuatro casilleros.

Pese a dividirlos la fe, la moral y la concepción del mundo, y a pesar de verse enfrentados casi permanentemente en el campo de batalla, los españoles abrevaron en la cultura árabe lo suficiente como para que don Alfonso reconociera que a través de ellos podía dotar al reino de sólidas bases. Ese fue el objetivo básico de la creación de la Escuela de Traductores de Toledo, que actuó como el centro de irradiación y atracción de la cultura árabigo-helénica. Las obras de los clásicos pasaron allí del árabe al latín de éste las lenguas romances.

La tarea del rey, en múltiples cuestiones, es gigantesca; solamente sus comentarios a la legislasción visigótica, como su obra jurídica *Las siete partidas*, lo mismo que el *Setenario* o la *Grande e General Estoria* y sus deliciosas *Cantigas de Santa María*, ocupan varios volúmenes. De entre toda esa producción rescatamos, para analizarlo, el códice sobre el ajedrez.

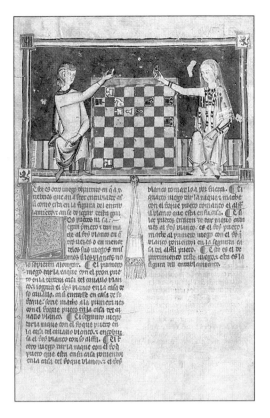

Alfonso X de Castilla pensaba que de todos los juegos por él estudiados el ajedrez era el más noble, pero tal vez no llegó a intuir toda la ciencia que había encerrada en esos sesenta y cuatro casilleros. Para él contaba el aspecto lúdico, y llegó a sugerir, incluso, que se le agregaran dados para hacerlo más aína, o sea, para acelerarlo.

Las ediciones del manuscrito

La primera edición facsimilar completa de este libro la realizó, en 1913, el inglés J. White. Esta edición fue la utilizada por García Solalinde para su antología del rey Alfonso y es más bien escueta en lo que respecta al *Libro de los juegos*. Se trata de la obra consultada por todos los historiadores del ajedrez, incluido Murray, pese a la coincidencia de las fechas de uno y otro libro (el de Murray también apareció en 1913).

En 1987 se hizo una segunda edición, de la editorial Poniente y Vicent García. El prólogo fue compuesto por el profesor Vázquez de Parga; hay un estudio sobre las miniaturas que lo ilustran, que corresponde a Domínguez Rodríguez. Crombach hizo la transcripción del texto y Ricardo Calvo elaboró los comentarios ajedrecísticos. El códice alfonsino se guarda desde mediados del siglo XVI, durante el reinado de Felipe II, en el Palacio de San Lorenzo del Escorial.

El ajedrez de don Alfonso

Como no podía ser de otra manera, el manuscrito del rey se inicia con una alabanza a Dios, y explicando en qué diversiones ocuparon los *ricos hommes* su tiempo libre para hacer más llevaderas y menos tortuosas las fatigas, los sufrires y las faenas cotidianas. Y dice el rey: *"{...} unos cabalgando o tirando la ballesta o cazando ú otros iuegos de cualquier manera quiera que se pueden facer de a caballo"* y *"luego están los que usan iugar de a pie, como los que esgrimen, corren o saltan; y finalmente los que juegan sentados; al ajedrez, a los dados o a las tablas"*.

A continuación el rey intenta abrir alguna opinión histórica sobre este juego y menciona a un rey en *India la Mayor*, bajo cuyo reinado habría sido inventado. Las piezas son las mismas que las del juego árabe, con las salvedades ya hechas del *firzán,* a las que podríamos agregar la del *rukhj* que se hace *roque,* y la del *fil* que se hace *alfil,* como ya vimos. El alfil aparece en el juego como un elefante con una torreta llena de hombres dispuestos a entrar en combate.

En la teoría y en la práctica este ajedrez es el mismo de los árabes, pero con excepciones, como la del peón, que puede saltar hasta la tercera casa en su primer movimiento. Además de confirmar el uso posterior de esta franquicia, el rey nos da un claro ejemplo de lo que fue la variante hispánica, hacia 1280: *"Pero bien y algunos que usan a iogar de los peones a tercera casa, la primera vez"* (Pero hay algunos que suelen jugar los peones hasta la tercera casilla [a contar desde el inicio de la partida, se entiende] la primera vez).

...para el Rey, la lucha ficticia que se lleva a cabo en el tablero es copia de la que se efectúa con la lanza y el escudo,...

El *alferza*, en su primer movimiento, puede desplazarse dos casillas en cualquier dirección, aun saltando por encima de otra pieza, y también mueve como el caballo. Así, podía hacer **b1**, **b2**, **c2**, **d3**, **e2**, **f1** y **f3**. En los movimientos siguientes se desplazaba una única casa, en diagonal. Éste sería un antecedente para rastrear cómo fue originalmente la pieza que hoy conocemos como *dama*, adquiriendo progresivamente la movilidad, que sólo se hará definitiva a mediados del siglo XV.

El libro incluye también 103 problemas, muchos de ellos recreados de trabajos árabes. Lo ilustran grabados de las piezas y numerosas miniaturas en las que aparece retratada la sociedad hispano-medieval característica de esos tiempos, jugando al ajedrez.

Alfonso es un medieval. Su propósito ha sido enseñar el juego a la nobleza, como marca de clase. La fusión entre ajedrez y medievalidad es, en el rey, casi perfecta. A lo largo de las páginas de su libro se respira el clima de cruzada religiosa en defensa de la fe que es característica distintiva de la España medieval. De su lectura se desprende que, para el Rey, la lucha ficticia que se lleva a cabo en el tablero es copia de la que se efectúa con la lanza y el escudo, en esa especie de *tierra de nadie* que era, por lo menos hasta fines del siglo XV, el límite entre la España musulmana y la cristiana.

Tras la alusión histórico-legendaria, don Alfonso describe la cantidad de piezas por bando y sus colores respectivos; la ubicación de las mismas en el tablero —un *tablero*, y no el paño cuadriculado de los árabes—. Establece después la diferencia entre piezas mayores y menores, distinción que aún hoy perdura, y finalmente da la descripción de cada pieza en particular. Ellas son un modelo de sociedad; el rey es el señor de la hueste, al igual que el rey cristiano. Junto a él se halla el *alferza,* su lugarteniente, que no tiene ninguna pieza que se le asemeje en nobleza y dignidad. Luego vienen los *alfiles,* que son elefantes preparados para el combate; los *roques* son los lanceros; los *caballos,* la caballería y los *peones,* la infantería.

En cuanto al movimiento de las piezas, comienza por la pareja formada por el rey y su *alferza* para luego continuar con las restantes piezas mayores y menores, de acuerdo con la ubicación de éstas al inicio de la partida.

Del primero dice que mueve una casilla por vez; del *alferza,* lo antes dicho; del caballo, que se asemeja a los buenos caudillos que se destacan en la guerra yendo a diestra y siniestra (por la particularidad de su salto) y de los *roques,* que recorren todo el tablero en línea recta. Finalmente se ocupa de los *peones,* cuyo paso es lento, pues son como "la peonada de la hueste [...] pueden andar poco porque van de a pie y llevan su armamento personal y otras cosas de las que tienen necesidad".

En cuanto a la capacidad y destrezas para el combate y su jerarquía, nos informa que "El rey [...] puede capturar a todos y ninguno puede capturarlo. Y esto es a semejanza del rey que puede hacer justicia a todos aquellos que la mereciesen, más por eso no deben ponerle la mano ninguno en él para prenderlo, herirlo o matarlo, aunque el prenda, hiera o mate". Es ésta una clara alusión al concepto de superioridad regia, común a la Edad Media, pero principalmente a los siglos XIII y XIV.

Don Alfonso propone diferenciar las piezas: "El rey debe estar en su silla con su corona en la cabeza y la espada en la mano, como si juzgase o mandase a juzgar. La alferza ha de hacerse a manera del aférez mayor del rey, que lleva sus banderas y estandartes cuando ha de entrar en las batallas. Los alfiles han de hacerse como elefantes con castillos encima de ellos llenos de hombres armados dispuestos a combatir. Los caballos han de representarse como caballeros armados, que son caudillos puestos por mandato del rey para custodiar sus haces, los roques han de ser hechos como haces de caballeros armados que están fortalecidos unos con otros. Los peones han de hacerse a manera del pueblo menudo que están armados y preparados cuando quieren combatir".

Pero luego nos dice que "En todas las tierras que juegan ajedrez sería muy engorroso diseñar estas piezas como se ha dicho, por eso buscaron los hombres la manera de representarlas más ligeramente y con menos costo, pero que fuesen lo más parecido a éstas que enumeramos". Así, el rey don Alfonso se adelantó cerca de siete siglos a la creación de un modelo de piezas estandarizado y reconocido internacionalmente, cosa que se concretó en el siglo XIX con los llamados juegos *Staunton,* de procedencia inglesa.

Las colecciones de problemas

Si bien no nos proponemos trazar una historia de la composición ajedrecística, como la del profesor Zoilo Caputto, por ejemplo, haremos una referencia a dos grandes obras medievales: el *Bonus Socius* y el *Civis Bononiæ*, pues en ambos trabajos se resume todo lo que esta etapa de la historia pudo ofrecer en materia de técnica y teoría del juego.

Recuérdese que se trata del *juego viejo*, lo que significa que ambas obras revisten un carácter más arqueológico que ajedrecístico. Debe destacarse que los problemas cuya solución no entraña contradicciones con la moderna teoría han sido utilizados como fuente de inspiración por compositores modernos, para profundizar algunas líneas de juego y por maestros de ajedrez, para la enseñanza de sus alumnos.

El *Bonus Socius* podría ser anterior en algunos años al libro de Alfonso el Sabio, o cuando menos, contemporáneo, pero el *Civis Bononiæ* es del siglo XV, lo que nos permite ver la evolución del juego en el lapso que va de la composición del manuscrito real (siglo XIII) hasta mediados del siglo XV, pero en la península itálica, más precisamente en la región lombarda, que fue un centro ajedrecístico medieval de la mayor importancia.

Estas dos obras poseen introducciones en las que se hacen algunas referencias de tipo histórico-legendario, además de explicarse algunos tecnicismos. El *Civis...* tiene como fuente al *Bonus...* El profesor Murray, quien ha abordado todos los manuscritos existentes de ambas composiciones, logró determinar la cantidad de ejemplos que fueron copiados íntegramente, los que fueron simplificados, ya en piezas, ya en movimientos, o los que fueron transcriptos cambiando el color del bando que gana.

El *Bonus Socius*

El primero de los dos libros, cronológicamente, es el *Bonus Socius*; su traducción del latín sería: *Buen Amigo* o *Buen Compañero*, título que presumiblemente identifica a un profesor de alguna universidad de Lombardía llamado Nicolás de San Nicolás. Se lo asocia con el ambiente universitario de esa región del Norte de Italia, pues el mote *bonus socius* era reservado a los compañeros de cátedra; algo así como lo que hoy sería un adjunto o un colega de otra cátedra.

Este libro está escrito en latín y consta de 194 problemas. Los más elementales son posiciones de resolución en tres movimientos; los más elaborados llegan a diecinueve. Hay una numerosa cantidad de problemas imposibles o falsos, llamados, como ya vimos, de *apostar*. El manuscrito más importante se halla en la Biblioteca Nacional de Florencia y se destaca por sus hermosas miniaturas. Fue traducido al italiano y hacia el siglo XV llegó a Francia. El *Bonus So-*

cius es el fiel reflejo del ajedrez universitario que se practicaba en la Lombardía bajomedieval.

Uno de los tecnicismos más interesantes es la regla de la *afidación*. *Affidare* cualquier pieza, en el juego medieval, implica elevarla a la categoría de incapturable. Los trebejos amparados por esta franquicia son denominados *affidati* y cuando en un problema aparece uno en estas condiciones nuestro anónimo compilador lo señala con una cruz roja.

El *Civis Bononiæ*

El *Civis Bononiæ* o *Citadddino di Bologna* fue, como el *Bonus...*, traducido al italiano. Un manuscrito italiano fechado en 1454 lleva por título: *"Tractatus Partitorum Scacchorum, Tabularum et Merelorum, scriptus anno 1454"* (Tratado de las partidas de ajedrez, tablas y dados escrito en 1454). Fue fuente para el tratadista Lucena e incluye un poema en verso latino. El material árabe es pequeño; tan sólo 29 de las 288 posiciones de mate son *mansubat* extraídos de manuscritos árabes. Lo mismo que el *Bonus Socius*, el *Civis Bononiæ* presenta ilegalidades, tales como peones retrogradados o alfiles en casillas inaccesibles.

Es probable que algunos de los errores señalados se deban a la mano de copistas que no eran ajedrecistas, pero ya sabemos que los problemas llamados *de apostar* eran ambiguos y tramposos. En ellos, las piezas estaban distribuidas erróneamente, para producir el efecto buscado: engañar al incauto.

Debe hacerse la salvedad de que existen excepciones, como en el manuscrito italiano del *Civis Bononiæ*, que se conserva en la Biblioteca Nacional de Florencia con el nombre de *Libri de belli partiti al giuco de scacchi, composto per un valentuomo spagnolo* (Libros de bellas partidas del juego de ajedrez, compuesto por un gentilhombre español). Constituye una excepción pues ha sido copiado por un ajedrecista, que ha hecho comentarios y ha enriquecido el trabajo con composiciones propias. Indudablemente el copista es el *valentuomo spagnolo* mencionado en el título.

Con respecto al autor del *Civis Bononiæ*, corresponde señalar que no se ha podido hallar, porque se ha escondido en los versos del poema latino que hace las veces de introducción. Aunque el texto intenta ayudar a resolver la incógnita, los datos aportados no alcanzan para lograrlo.

La literatura moral

Hay en la literatura medieval europea obras de carácter alegórico-moralizante, que han tomado al juego del ajedrez como objeto de análisis y punto de partida para la construcción de universos sociales de carácter ideal. Estas obras son las *moralidades*.

El margrave Otto IV de Branderburgo jugando al ajedrez.
(*Miniatura del manuscrito Manesse, siglo XIV*)

La característica más saliente de la *moralidad*, por lo menos en lo que al ajedrez respecta, es su enfoque. En ella, la alegoría supera al juego. Su autor no se ha propuesto enseñarlo, ni plantea problemas con sus soluciones. El moralista se maneja con la fábula, que excede al juego. Hay un propósito, el de encontrar en el juego del ajedrez un *speculum vitæ*, un fiel reflejo de la sociedad y de la vida. Estas piezas literarias colaboraron en la difusión del ajedrez en la Europa medieval y tuvieron una influencia importantísima en su desarrollo ulterior.

Son varios los motivos que favorecieron la irrupción de las "moralidades" en el mundo intelectual de la alta clerecía del medioevo. En primer lugar, quisieron romper con los prejuicios que la misma Iglesia había desarrollado sobre el ajedrez. Recordemos que en 1061 el cardenal Pedro Damiani había castigado a un prelado por jugar al ajedrez. Por su parte, Odo, quien fuera obispo de París, sugirió que los clérigos no debían tener tableros en sus casas. Los *Estatutos de la Iglesia de Elma,* en el tercer volumen de los *Concilios de España,* dicen: "Los clérigos que fueran hallados jugando al ajedrez o a los dados, serán *ipso facto* excomulgados". Es probable que San Francisco Javier haya amonestado a unos sacerdotes que lo jugaban por dinero.

El problema de la licitud del juego en general y del ajedrez en particular no es exclusivo de Occidente: también los árabes tuvieron dificultades para lograr su aprobación y, aun así, las piezas debían ser representadas de modo tal que toda similitud con personas o animales quedase del todo borrada.

Sin embargo, con el tiempo, la misma Iglesia combatió a los detractores del juego del ajedrez. Lo hizo, entre otros motivos, porque intuyó que con él se podían erradicar males mayores, tales como la sodomía, o las faltas a la castidad que imperaban en los claustros. No sorprende entonces que la mayoría de las obras compuestas con la finalidad de moralizar a partir del juego del ajedrez hayan sido elaboradas por clérigos, entre los que se destaca el Papa Inocencio III.

Una de las más antiguas moralidades es dudosamente atribuida al Papa Inocencio III. Lleva por título *Quaedam Moralitas de Scaccario* ("Cierta moralidad sobre el ajedrez"). Esta obra, que aparece copiada y refundida en un buen número de manuscritos en las principales bibliotecas de Europa, es también adjudicada al monje inglés Juan de Gales, un fraile franciscano que fue autor de una obra titulada *Comuniloquium sive de summa collectionum* (Conversación sobre temas comunes, o sea, de la suma de las colecciones). De ella extraemos una frase que rondó por las mentes de distintos pensadores, no sólo de la Edad Media, sino de otras etapas de la historia: *The whole world is nearly like a chess board* (El mundo entero es como un tablero de ajedrez). Más adelante sugiere: "Cuando la partida acaba y las piezas vuelven el punto de donde partieron, a veces el rey queda abajo del peón; por eso es que el mundo se parece a un juego de ajedrez".

Por sus ataques muy virulentos a la clerecía de su tiempo, muchos dudaron que la obra pudiera ser de la autoría del Papa Inocencio. La mayoría de los investigadores prefirió suponer que lo que se conoce como *"Moralidad de Inocencio"* no es más que una obra temprana del franciscano, que fue refundida luego por un copista y adosada al *Comuniloquium*... como si se tratase de partes de una antología.

Cualquiera que haya sido el caso, la moralidad corresponde al siglo XIII. Las piezas tienen un simbolismo preciso. El rey (*rex*) es el señor del tablero, luego viene la reina (*regina*), las torres o jueces, los caballos o caballeros, que constituyen la aristocracia temporal, son los *miles* o *equites*; luego están los alfiles, *alphinus cornutus,* que son los jefes espirituales y representan al clero, lo que haría suponer una autoría inglesa para el manuscrito, como la de Juan de Gales, dado que asocia a los alfiles con jefes religiosos, los que bien podrían entenderse como obispos. Desde tiempos lejanos, en Inglaterra el alfil fue visto como un obispo.

Los peones o *pedinus* son la comunidad. El jaque es un lance del diablo, es la tentación. El jaque cubierto es el arrepentimiento. Y el mate es un sino de muerte del que no hay redención. Los movimientos corresponden al ajedrez antiguo o de los árabes, sin referencia a los del juego nuevo. El hombre juega una partida de ajedrez (la vida) con el diablo, por su alma. Si gana, se salvará; si pierde se condenará para siempre. Esta idea la retoma Ingmar Bergman en su película *El Séptimo Sello,* en una escena altamente significativa en la cual un caballero juega al ajedrez con la muerte. La acción está ambientada en algún punto impreciso de Europa, en 1348, un año clave para la historia demográfica del Viejo Continente, pues corresponde al brote más fuerte de peste bubónica que jamás haya asolado al hemisferio norte. Es una variedad de peste que deja en la piel una coloración atigrada-oscura, de ahí que se la haya denominado *peste negra.*

En ese ambiente de muerte y de psicosis de muerte creado por la enfermedad, un caballero juega una partida de ajedrez con *alguien* de aspecto sombrío, mirada perdida, ojos profundos y penetrantes, que haría recordar la clásica imagen de las parcas griegas, pero de sexo masculino. La Muerte desafía al caballero a una partida de ajedrez por su alma, y el caballero acepta.

"Juego con la muerte"

Fresco en la iglesia de la localidad sueca de Täby, de

Albertus Pictor (segunda mitad del siglo XV)

Sentados frente a frente ante el tablero, el caballero pregunta:

—¿Sabes jugar al ajedrez?

La Muerte responde con otra pregunta:

—¿Cómo lo sabes?

—Lo he visto en cuadros y escuchado en canciones —responde el caballero.

En efecto, son muy familiares los grabados, tanto de la Edad Media como de la modernidad, en los que un esqueleto, que representa a la Muerte, aparece jugando al ajedrez con un caballero.

Luego el diálogo se torna más sustancioso todavía, cuando el caballero interrumpe momentáneamente la partida para comentarle a un circunstancial parroquiano que está jugando al ajedrez con la Muerte. La ha sorprendido con una combinación de alfil y caballo que ella no conocía, por lo que no duda que habrá de derrotarla. Pero luego la Muerte avisa mate en dos movimientos, como si se tratase de un final, y el caballero comprende entonces que del destino nadie huye; la peste que asuela el reino acabará por llevárselo también a él.

El ajedrez aparece como uno de los juegos cuya licitud moral está fuera de toda duda. Es un género de juegos de honestidad social *(genus ludorum socialis honestitatis)*, en los que la alta clerecía empieza a ver buenas armas para combatir males muy comunes de su tiempo.

La más temprana referencia continental al ajedrez como alegoría o cuadro de la vida humana se halla en algunos manuscritos provenientes de Francia, llevados luego a Inglaterra. En ellos se repite la asociación del tablero del ajedrez con el mundo, las piezas con la comunidad y la gran familia humana con el juego.

El Liber..., *de Cessolis*

El *"Liber de moribus hominum et oficciis nobilium super ludo scaccorum"* (Libro de las costumbres de los hombres y los oficios de los nobles sobre el juego del ajedrez) es la más ambiciosa y más importante de las moralidades de ajedrez. Hay un gran número de copias manuscritas, provenientes de los siglos XIV y XV. Su difusión se acrecentó con el desarrollo de la imprenta, transformándose luego en un clásico de los siglos XVI, XVII y XVIII. Fue traducida a casi todos los idiomas de la Europa de su tiempo.

Al comienzo del libro el autor nos da algunos breves datos sobre su persona. Nos dice que pertenece a la Orden de los Frailes Predicadores, fundada en 1216, y conocida en la actualidad como de los *dominicos* por el nombre de su fundador, el español Santo Domingo de Guzmán.

Originalmente la moralidad era un sermón y sólo por deferencia hacia los constantes reclamos de sus alumnos, los frailes menores, Cessolis se decidió a ponerla por escrito. El sermón está dividido en cuatro partes, llamadas libros o tratados, dentro de los cuales el autor reúne una gran cantidad de anécdotas bíblicas, fábulas y relatos obtenidos de la Historia antigua y de la de su tiempo, recargando las tintas en lo que respecta al hombre y su poder, en las distintas situaciones.

Solamente en el primero y el cuarto capítulos del *Liber...,* Cessolis ofrece referencias a la historia del ajedrez. En el primero expone sus creencias en torno a los orígenes del juego del ajedrez y en el cuarto describe el movimiento de las piezas. En los demás capítulos interpreta las piezas como símbolos de los distintos órdenes y rangos de la sociedad; cada personaje es presentado envuelto en una nube de anécdotas e ilustraciones. Son estos dos libros, el segundo y el tercero del sermón, los que hicieron de la obra del dominico lombardo uno de los trabajos favoritos de la Edad Media y le dieron una vitalidad que hizo sobrevivir la variedad de ajedrez que describe. La popularidad no le viene de lo que específicamente tiene de ajedrez, sino de su peculiar manera de contar las historias, apelando a la cuentística y a la fabulística clásicas y orientales. De hecho, el cuarto libro, que es el que corresponde al movimiento de las piezas, está totalmente omitido en algunos manuscritos, o reemplazado por otros trabajos moralizantes.

Cessolis atribuye la invención del juego del ajedrez al filósofo caldeo Xerxes. Este lo habría creado durante el reinado del hijo y sucesor de Nabucodonosor, Evimelrodach, que en las obras medievales aparece siempre como un demonio de perversidad.

No se sabe bien de dónde obtuvo esta información Cessolis, pero nos da algunas razones que justifican la invención del juego: corregir las malas maneras de un rey, erradicar la enfermedad y la melancolía y satisfacer la natural demanda de novedades, por la infinita variedad de matices que el juego presenta.

Los diferentes capítulos que integran el segundo y el tercero de los libros, en los que se aborda la interpretación alegórica de los trebejos, comienzan con descripciones en torno de la manera en que los caracteres simbolizados han de ser representados. En muchos manuscritos y tempranas ediciones aparecen miniaturas que acompañan al texto; probablemente las más conocidas sean las de la edición de William Caxton, de 1474.

El monje dominico Jacobus de Cessolis, que en 1275 produjo el libro más copiado y, tras la invención de la imprenta, el más editado. LIBRO DE LAS COSTUMBRES DE LOS HOMBRES Y LOS OFICIOS DE LOS NOBLES SOBRE EL JUEGO DEL AJEDREZ.

La interpretación, tanto del rey cuanto del caballo, resultan coherentes con sus rangos. La reina es tratada como tal, aunque el capítulo en el que se la aborda apunta a las mujeres en general.

Dado que los nombres *alfil* y *torre (roccus)* no sugerían nada en particular, como ya hemos visto, Cessolis se sintió en libertad de adoptar la explicación que más le conviniera o sirviese a sus propósitos moralizantes. De acuerdo con esto, identifica al *alfil* con el juez, y a los *roques*, con legados regios. La justificación de esta particular noción debe hallarse en la idea de que los jueces del rey deberían estar a su lado, mientras sus diputados, los *roques* o *torres*, deberían gobernar —bajo su patrocinio— los confines del reino (que son las últimas casillas del tablero).

La debilidad más manifiesta de esta alegoría de la sociedad medieval consiste en que no es exhaustiva; ya que no toma en cuenta a la clase de los clérigos. Esta notoria omisión desluce lo acabado de la obra. Algunos traductores reconocieron claramente esto e intentaron completar el cuadro. Esta práctica era común en aquellos tiempos: como no existía nada semejante a la noción de "autor", todo era de todos, y cualquiera se sentía con derecho y en condiciones de tomar una obra ajena y recortarla, agrandarla, enriquecerla o estropearla a su gusto.

Lo más original y destacable de su simbología es la manera en que se trata a los peones, a los que Cessolis denomina *populares* o *"gente del pueblo"*. En vez de englobarlos en un único grupo, como la mayoría de las moralidades, él diferencia ocho tipos socioeconómicos. Así, el peón de la torre del rey es el *agrícola*; el peón del caballo del rey es el *faber*; el del alfil del rey, el *notarius, lanifex, carnifex* o *scriptor*. El peón del rey es el *mercator*; el de la dama o reina, el *medicus*; el del alfil de la dama, *tabernarius, tabularius* u *hospes*; el de su caballo, *custos civitatis* y el peón de la torre del rey, es el *ribaldus, cursor* o *lusor*. Las denominaciones variaban mucho de manuscrito en manuscrito y en conjunto pintan la vida cotidiana en la Edad Media a través de sus personajes: médico, carnicero, tabernero, alcalde, notario, jugador, agricultor.

Sólo en el cuarto libro Cessolis aborda el juego en su parte práctica, aunque no pierde oportunidad para moralizar. Describe al tablero como una representación de la ciudad de Babilo-

El Peón.

Nüremberg, bronce dorado, hacia 1570.

nia; fortificada sobre cuatro puntos, con cuatro plazas fuertes, las cuatro esquinas del tablero (a1, a8, h1 y h8), que son los lugares que ocupan las torres hoy, al inicio de la partida. Los bordes del tablero se asemejan a los muros de la ciudad; el pueblo, los *populares*, se hallan por delante de la nobleza, porque los nobles nada pueden hacer sin ellos: *gloria ergo nobilium, ac vita populares sunt* (por ende, la gloria de los nobles yace en la vida de los populares). Dispuestas para el juego, las piezas ocupan la mitad exacta del tablero y dejan la otra mitad libre, para dotar de un reino a cada monarca y espacio para jugar.

Como en otros trabajos medievales las piezas de cada jugador son llamadas de acuerdo con el color de las casillas en las que se encuentran ubicadas, independientemente del color del bando al que pertenecen; de esta forma, el alfil del rey es llamado *su alfil negro,* y el alfil de la dama *su alfil blanco,* porque se desplazan respectivamente por casillas blancas y negras.

Moralidades tardías

Cuando la Edad Media se está apagando, ya sobre el final del siglo XV, y el juego del ajedrez empieza a adquirir su forma actual, surge una última manifestación, anónima, de esta singular producción literaria. Se trata de la obra conocida como *Le jeu des esches de la dame, moralisé* (El juego de ajedrez de la dama, moralizado). El único manuscrito que se conserva de este singular trabajo se encuentra en la Biblioteca del Museo Británico.

El trabajo está dedicado a una dama de abolengo, de noble cuna. El libro está escrito como las moralidades del juego viejo, aunque se emplea el ajedrez actual. La alegoría es ahora ético-religiosa.

El tablero es el mundo. Durante el juego, el rey, la reina y los otros trebejos se ubican de acuerdo con sus grados y casillas asignadas.

El tablero es el mundo. Durante el juego, el rey, la reina y los otros trebejos se ubican de acuerdo con sus grados y casillas asignadas; cuando el juego concluye, todas las piezas yacen juntas en su casa y el rey se mezcla con los peones y las otras piezas, idea que ya aparece en la moralidad atribuida a Inocencio III.

La dama, ¿la de la dedicatoria?, juega una partida de ajedrez con el diablo; su cuerpo es la prenda. El rey *(roy)* es *caridad*, la reina *(dame o royne)*, *humildad*, el alfil del rey es *le petit delphin de votre roy* (el pequeño delfín de vuestro rey). Parecería que el autor nos está queriendo dar a entender que el alfil del rey es a su soberano lo que el delfín al rey de Francia. Este representaba la *honestidad*.

El alfil de la dama es el *fou* (loco) y representa el *conocimiento de sí mismo*; el caballo del rey, *chevalier du roy*, es la *verdad* y la *amistad*. El caballo de la dama es la *confianza* y la torre del rey, la *paciencia*. La torre de la dama, la *continencia*; el peón del alfil del rey, la *inconstancia*; el peón del alfil de la dama, la *ficción*; el peón del caballo del rey, la *infamia*; el peón del caballero de la dama, el *perjurio*; el peón de la torre del rey, la *blasfemia*, y el peón de la torre de la dama, la *traición*. Estas son las piezas y sus respectivas simbologías; en el curso del juego la actual casilla **c8** es llamada *le siège de l'humilité* y **e7**, *le lieu d'amour desordoné* ("la sede de la humildad" y "el lugar del amor desmedido" respectivamente).

EL AJEDREZ EN LAS LETRAS

 El ajedrez forma parte de las disciplinas y estudios que integran la formación moral e intelectual de Pantagruel, el personaje inventado por Rabelais.

 Tanto Petrarca como Ariosto y Sannazaro mencionan al ajedrez en sus obras.

 En 1516, Joannis Aquile publica *Opusculum*, una parodia teatral en la cual los trebejos hablan entre sí y comentan sus tareas en el tablero. La práctica de asociar al ajedrez con el drama o la comedia, fue abordada luego por los dramaturgos españoles de mediados del siglo XIX.

 "Se consiente en las repúblicas bien concertadas que haya juegos de ajedrez." Miguel de Cervantes, *Don Quijote*, capítulo 32.

En un mundo en que las clases más altas se dedican, casi con exclusividad, a la caza, a las justas, a los torneos, a cortejar, a amar a las damas y a derramar sangre en cuanto campo de batalla se presente como una afrenta a la Santa Cruz, el ajedrez estaba destinado a constituirse en el pasatiempo por excelencia.

De su enorme difusión en la Edad Media dan cuenta numerosas anécdotas. Hay una historia según la cual el rey inglés Juan Sin Tierra (John Lackland), se hallaba jugando al ajedrez cuando unos heraldos vinieron a avisarle que el rey Felipe Augusto de Francia sitiaba la ciudad de Rouen. Él no los atendió hasta que no concluyó la partida.

Parece ser que en 1117, en plenas guerras dinásticas entre Francia e Inglaterra, Luis el Gordo, el rey francés, haciendo gala de un humor muy especial, les dijo a un grupo de arqueros ingleses que estaban a punto de acabar con su vida: *Un roy n'estoit iamais pris seul au ieu des éschecs* (Un rey nunca es capturado solo en el juego del ajedrez). No es difícil imaginar la respuesta de los arqueros ingleses.

CAPITULO V
EL AJEDREZ EN LA MODERNIDAD

Este juego merece ser aprendido.

William Shakespeare

Las transformaciones sociales

La modernidad es un fenómeno histórico de notables proyecciones. Las ideas modernas y el hombre nuevo del Renacimiento, el burgués emprendedor, decididamente urbano, son fenómenos propios de la nueva sociedad, de una peculiar manera de entender las comunicaciones y los vínculos entre los hombres, que lleva a gestar una idea nueva, el Estado nacional, que perdura y es totalmente ajena a aquella con la que se identificaban los medievales.

Junto con la idea de un Estado nacional, concepción política que empieza a desarrollarse en teóricos como Nicolás Maquiavelo, hacia los años 1450-1500, surgen otras ideas tanto o más revolucionarias que ésta; tal es la que sugiere que Dios no necesariamente ocupa un lugar central en la vida del hombre.

Es fácil comprender que esta transformación en la manera de pensar y de vivir debió de haber impactado no solamente en la sociedad en tanto comunidad de hombres, sino también en toda su visión estética y filosófica; de esa efervescencia conocemos su manifestación más excelsa: el Renacimiento.

En el contexto transicional y reformista del Renacimiento nace el ajedrez moderno, cuyas fuentes más tempranas son los libros de Vicent y de Lucena, de los cuales nos vamos a ocupar ahora.

Una etapa de transición

En 1497, con América descubierta y la monarquía española en vísperas de transformarse en un Estado nacional —lo que se concretará veinte años más tarde con Carlos V de España, I de Alemania—, un bachiller de Salamanca, de apellido Lucena y nombre de pila incierto, publica el curioso tratado *Repetición de Amores y arte del juego del acedrex con ciento y cincuenta juegos de partido*. De esta obra se conserva, en algunas bibliotecas del mundo, un escaso número de ejemplares, que en su gran mayoría están incompletos. En España hay siete, en los Estados Unidos, seis; y uno en cada uno de estos países: Bélgica, Francia, Italia, Brasil, México e Inglaterra. Uno de los pocos ejemplares completos de este raro e interesante libro se encuentra en la actualidad en la colección de incunables de la Biblioteca del Museo Británico, que conserva sus 124 folios originales.

Por su parte, el maestro valenciano Francesch Vicent escribió en 1495 *Libre del jochs partits dels schachs en nombre de 100* (Libro del juego de partidos de ajedrez, en número de 100). En las primeras décadas del siglo XIX se lo da por desaparecido.

Estos dos libros representan lo que se dio en llamar luego *ajedrez de la dama* o *alla rabiosa*, debido a que hace en él su debut esta pieza, con las características iconográficas y de movimiento actuales, por oposición al *juego viejo*, como lo llama Lucena. Puede comprenderse que la extrema movilidad de la dama modifica totalmente al viejo juego.

Lucena define claramente los propósitos que lo mueven a publicar su libro: sentar las bases teóricas de un juego que con toda seguridad ya se practicaba varios años antes y que era sensiblemente diferente del *shatranj* arábigo-persa que se jugó durante cerca de setecientos años, durante la Edad Media.

Obra de transición, el libro de Lucena representa un punto intermedio entre una mentalidad medieval tardía y un temprano humanismo que asoma tímidamente. Conviven allí, y hasta se llegan a mezclar, el viejo juego y el nuevo. Cuando nos dice que el peón coronado, al posarse en la octava casilla, saltará y dará jaque como

El jardín del amor, estampa al cobre producida hacia 1445-50, con una pareja jugando al ajedrez.

reina y caballo *"por lo mucho que a las damas se les debe"*, nos está mostrando los más hondos significados de este cambio y las muchas dudas y confusiones que todavía persistían.

El juego de Lucena es la primera manifestación documental del que jugamos en la actualidad.

La primera parte de *Repetición de Amores...* es un discurso contra la mujer. El autor ha sido capturado por el amor de una mujer que lo desdeña; esto lo lleva a despreciar al género femenino. Es así empujado a un doble discurso en el que, por un lado, se vituperan los procederes femeninos y por el otro se los aprueba, pues el autor resulta, merced a esos ardides de amor, víctima de los dardos envenenados de Cupido.

Estamos en tierras ibéricas, lugar de Europa adonde los códigos del amor cortés y los ideales caballerescos que caracterizaron a la Europa feudal entre los siglos XIII y XIV ingresan tardíamente. La pieza que llamamos *dama*, con las actuales connotaciones es, consecuentemente, una verdadera creación de la época.

El estilo moralizante o la literatura ajedrecística moral seguían gozando todavía de predicamento y eran géneros preferidos por las clases cultas o intelectuales. Prueba de ello es que, pese al siglo y medio que los separa, el estilo literario de Lucena es semejante al de Cessolis. Ambos utilizan el ajedrez para exponer sus ideas. Ambos recurren a los autores de la Edad Media, a los fabulistas grecolatinos, a los Padres de la Iglesia, y tienen un estilo literario sembrado de leyendas y alusiones mitológicas. Cessolis apunta a un estado social y político ideal y a la exhortación de la virtud; Lucena, a la necesidad de templar el espíritu para no caer en las redes de Cupido, cometiendo pecados mortales. El sexo femenino, al que Lucena indudablemente admira, es una constante de provocación; sus perfumes, ungüentos, afeites y vestidos vistosos inflaman nuestros sentidos y nuestros corazones de una pasión malsana, que nos aleja de Dios y nos acerca a la lujuria y al Demonio.

La segunda parte del libro de Lucena, *Arte de axedres*, es la que tiene que ver específicamente con el ajedrez. El juego de Lucena es la primera manifestación documental del que jugamos en la actualidad. El interés de este libro radica en el hecho de que en sus páginas se asiste a la desaparición del viejo juego medieval y a la irrupción del nuevo ajedrez, que se estaba incubando en las fértiles mentes de los jugadores y los tratadistas.

Presenta lo que él llama *reglas*, en número de once. La primera de ellas describe las normas rudimentarias del juego, con la incorporación de los nuevos movimientos de dama y alfil, y las diez restantes son aperturas, algunas de las cuales fueron adjudicadas luego a otros grandes del tablero, como el clérigo extremeño Ruy López de Segura, o el coronel Petroff, de la guardia del zar Alejandro. A continuación de las aperturas se suceden los ciento cincuenta juegos prometidos, explicados a la usanza árabe, es decir, describiendo todos los movimientos con gran detalle.

Los investigadores no acaban de ponerse de acuerdo con respecto a los *juegos de partido*. Lucena encabezó cada problema con la designación *de la dama*, toda vez que su resolución obedecía a los nuevos planteos teóricos; o *del viejo*, cuando se trataba del *shatranj* de los árabes. De aquí que muchos juegos encabezados como *del viejo*, son en realidad *de la dama* y viceversa. Hay, además, problemas cambiados, que fueron adaptados por el autor al juego nuevo y otros mal catalogados.

Protada del libro de Lucena.

Inmediatamente posteriores al libro de Lucena son los manuscritos de París y de Gottingen. Estos serían de la pluma del bachiller; por ciertas características y su estilo, nos dan la pauta de que habrían sido tal vez copiados parcialmente al bachiller. Además, muchos de los problemas estudiados en ambos manuscritos aparecen también en la obra de Lucena. Hay aperturas nuevas y el juego es sólo el de la *dama*; el viejo ha sido totalmente olvidado.

Tuvieron que pasar quinientos años para que el salmantino recibiera el tributo que en un principio se le había negado: algunos maestros del siglo XX lo rescataron del olvido pues encontraron en él interesantes planteamientos en torno al tema del final, que no habían percibido los propios contemporáneos del bachiller.

El nuevo ajedrez

Opina Murray que el nuevo ajedrez fue inventado en España. Sin embargo, sigue siendo difícil hallarle una geografía definitiva, puesto que Lucena, nuestra principal fuente de información, nos dice que recogió sus datos en Roma, en toda Italia y en Francia.

En Alemania, el nuevo ajedrez aparece documentado recién en 1536, en la descripción de Egenolf. En 1617, cuando el duque Augusto de Brunswick Lunemburg, Gustavus Selenus, escribió su tratado de ajedrez, el juego viejo sobrevivía aún en la Villa de Ströbeck, a la que hicimos referencia en el primer capítulo. Es opinión de Murray que fue el último rincón de Europa en admitir el juego nuevo.

Los tratadistas posteriores a Lucena, tanto del Renacimiento como del temprano barroco, comprendieron que, dadas las características de velocidad y rapidez del juego nuevo, el enroque se constituía en la salvaguardia más eficaz para el rey y en el punto principal del desarrollo de una estrategia de ataque o de defensa. Esto llevó a Francesco Piacenza a decir, varios años después, cuando el enroque actual era un hecho, *chi non s'arroca perderá sempre* (quien no enroca perderá siempre).

Durante los siglos XVI y XVII se advirtió que la *dama*, con la potencialidad de ataque y liberalidad de movimientos adquiridos, podría obligar al rey —mediante sucesivos jaques— a permanecer en el centro del tablero, quedando a merced del adversario; de aquí que en los teóricos surgiera la necesidad de replantear no sólo el juego sino cuestiones más específicas, como la teoría de las aperturas. Fruto de esas investigaciones son los tratados, que tanto en español como en italiano dominan el horizonte ajedrecístico de los siglos XVI y XVII. Una de esas obras es el libro de Damiano.

El libro de Damiano

Damiano fue un farmacéutico portugués nacido en la ciudad de Odemira, que en 1512 editó un pequeño librito titulado *Questo libro è da imparare a giocar sacchi et de le partite* (Este libro es para aprender a jugar al ajedrez y sus partidas). Fue un libro muy bien recibido, y se lo reeditó muchas veces.

La primera edición fue bilingüe, en italiano y español; en ambos idiomas se presentan los respectivos problemas con sus soluciones, acompañados por hermosísimos grabados, de reducidas dimensiones, compuestos especialmente para la edición. El libro está compuesto de dieciséis *primores* (Damiano llama *primores* a composiciones muy breves y sencillas en las cuales la ganancia es a veces una pieza o una buena posición) y setenta y dos juegos de *partido*. Estos últimos fueron tomados casi totalmente de libro de Lucena. El aporte principal de Damiano al progreso del juego del ajedrez consiste en la divulgación de la llamada *notación descriptiva*.

Esta obra es en la actualidad una mera curiosidad biliográfica, aunque durante muchísimo tiempo fue considerada el mejor tratado de ajedrez, tal vez por sus hermosos grabados y por la presencia de la nueva notación, pero Ruy López la combatió duramente y al fin la obra fue olvidada.

La más antigua partida de ajedrez nuevo

En el poema titulado *Schacs d'Amor*, existente en un manuscrito catalán de esta misma época, se encuentra la partida documentada más antigua del ajedrez nuevo, jugada entre Francisco de Castellví y Narciso Vinyoles, que reproducimos a continuación en notación descriptiva, todavía inexistente en esa época.

La partida consta de veintiún movidas y da el triunfo a las rojas —jugaban rojas contra verdes—. La apertura es el gambito del centro, un planteamiento también muy antiguo. Sigamos el detalle de las movidas:

UNA PARTIDA DEL AJEDREZ NUEVO DE FINES DEL SIGLO XV

(Transcrita con notación descriptiva)
Rojas: F. de Castellví.
Verdes: Narciso de Vinyoles.

1.	P4R, P4D	11.	CXT, CXC
2.	PXP, DXP	12.	P4D, C3D
3.	C3AD, D1D	13.	A5CD+, CXA
4.	A4A, C3AR	14.	DXC+, C2D
5.	C3A, A5C	15.	P5D, PXP
6.	P3TR, AXC	16.	A3R, A3D
7.	DXA, P3R	17.	T1D, D3A
8.	DXP, CD2D	18.	TXP, D3C
9.	C5C, T1A	19.	A4A, AXA
10.	CXPT, C3C	20.	DXC+ R1A
		21.	D8D++

Ajedrez y fe: Ruy López de Segura

Los ajedrecistas y también los simples aficionados conocen a Ruy López por la apertura de peón de rey que lleva su nombre y que probablemente le pertenece. Este clérigo, convertido en uno de los primeros especialistas del juego, llegó a ser cura párroco de la villa de Zafra y obispo de Zamora. Había nacido en la ciudad de Segura, pero habitó la mayor parte de su vida en Zafra, de Extremadura, muy cerca de Badajoz, en las primeras décadas del siglo XVI.

En 1559, junto con otros sacerdotes españoles, Ruy López hizo su primer viaje a Roma, en representación del Reino de España, para participar de la entronización del Papa Pio IV, un Médici. Estando en Italia, Ruy López tuvo la oportunidad de aprender el término *gambito* y las nuevas teorías en boga por aquellos años.

Ruy López, uno de los más grandes ajedrecistas hispánicos, fue el primer campeón del mundo, tras derrotar al ajedrecista Leonardo en Roma, en 1560. Al parecer, fue Ruy López quien le sugirió al rey Felipe II, de quien era confesor, conservar el manuscrito de Don Alfonso sobre ajedrez en el Palacio del Escorial, donde permanece. Escribió, además, un importante trabajo titulado *Libro de la invención liberal y arte del juego de acedrex*, impreso en Alcalá de Henares. Este libro, que fue conocido en toda Italia y luego en el resto de Europa, se tradujo después al italiano y se editó en la ciudad de Venecia, en 1584, por cuenta de un ajedrecista de renombre en aquellos años: Gian Doménico Tarsia.

El libro de López contiene muchos temas interesantes para el análisis. Nos propone, en primer lugar, una introducción histórica en la cual es fácil adivinar la fuente que inspiró ese texto: es la versión española, tomada casi íntegramente, del libro de Cessolis, que tradujera e imprimiera Martín de Reyna, en 1549.

Veamos lo que dice sobre el movimiento del alfil: *"Es verdad*

Felipe II de España, fue un notable aficionado al ajedrez.

que antiguamente no caminaba sino tres casillas y de punta hacia los lados y cuando quería saltaba por todas las piezas ó peones —como en el problema de Dilaram— y este juego se parece al juego viejo, que fue dejado y abandonado por los buenos jugadores". Este pasaje contiene muchos datos valiosos: en primer lugar se advierte que Ruy López conoció el juego viejo, pero también está enterado del problema de Dilaram —que ya comentamos—, lo que permite deducir que manejaba las fuentes árabes.

En 1575 concurrió, con otros compañeros, a un encuentro disputado con el patrocinio de Felipe II, donde perdió el título que había conseguido el año anterior.

El ajedrez salva una vida

Brunet y Bellet relata una interesante anécdota. Estaban Ruy López y el rey Felipe II jugando al ajedrez en un salón del Escorial, cuando se abrió sorpresivamente la puerta y apareció el verdugo. El rey le preguntó si se hallaba todo listo para la ejecución, a lo que el verdugo respondió que el reo se resistía a ser ejecutado, decía que por ser noble tenía derecho a recibir los santos auxilios de un obispo antes de que se le cortara la cabeza. El Rey lo concedió, pero ordenó que todo terminara antes de las tres. El verdugo recordó entonces que no había ningún obispo en la Corte, ya que el de Zamora había muerto en la víspera, y el de Palencia se había ausentado hacía algunos días. Un tanto contrariado, el Rey se dirigió a Ruy López y lo ungió obispo de Zamora, ordenándole socorrer al reo antes de su ejecución.

Ruy López se dirigió a la celda en la que se hallaba alojado su amigo, el duque de Medina Sidonia, ex favorito del rey, acusado de conspiración. Consiguió apaciguarlo y, dado que todavía faltaba bastante tiempo para la hora de la ejecución, le propuso jugar una partida de ajedrez hasta que llegara esa hora.

Tanto los guardias como el alcalde y el verdugo quedaron a un costado del tablero observando el curso de la partida, pero a las tres el verdugo sugirió suspenderla, cosa que no fue aceptada por el duque, quien reclamó que concluyera. Felipe, que no estaba presente, al escuchar la campanada que marcó las tres creyó que el duque ya había sido ejecutado. Pidió entonces al conde nombrado en reemplazo de Medina Sidonia, que le alcanzara el decreto en el que figuraba el crimen y castigo del supuestamente ya difunto duque.

El conde se equivocó y en lugar de sacar el decreto real, extrajo la lista de los conspiradores, en la que él figuraba a la cabeza de la rebelión contra el rey, con lo que quedaba al descubierto la falsa acusación cometida sobre la persona del duque. El rey arrestó al conde y envió la orden de suspensión de ejecución cuando la partida de ajedrez aún no había terminado.

Así fue como el inocente duque de Medina Sidonia salvó su vida gracias a una partida y a los buenos oficios del clérigo ajedrecista.

Marco Jerónimo Vida, el Virgilio del ajedrez

Marco Jerónimo Vida nació en Cremona, hacia el año 1480, y murió en Alba en 1566 (como ya se ha dicho). Llegó a ser bachiller en teología y obispo de la ciudad en la que falleció. Fue la fuente del anglo-holandés Daniel Souterus, autor del *Palamedes,* al cual ya nos hemos referido.

Un juego de reyes

 La reina Catalina de Médicis fue una gran jugadora, que tuvo como objetivo incumplido enfrentarse alguna vez con el maestro Paolo Boi Siracusano. Enrique IV, su yerno, fue un gran jugador de ajedrez, y Luis XIII tenía un tablero de viaje.

 La reina Isabel I de Inglaterra solía jugar al ajedrez con su secretario para asuntos latinos, Roger Ascham. También fueron jugadores de cierta fuerza Jacobo I de Inglaterra, que solía llamar al ajedrez entretenimiento filosófico, y Carlos I de España.

(En la ilustración, el Duque Albrecht de Baviera jugando con su esposa Ana de Austria, en 1552.)

En *Les recherches de la France*, Etienne Pasquier dice que Vida es un hijo dilecto de Virgilio, y tal afirmación tiene visos de realidad. Vida es un clérigo humanista y poeta neolatino jugador de ajedrez, y también el primero en llevarlo a la lírica. Es el primero en cantar, en el estilo de los grandes clásicos latinos del período de oro (Virgilio, Horacio, Propercio, Catulo, Ovidio) las suertes de este juego que es, como sugiere, *effigiem belli*, es decir, "imagen de la guerra".

El poema de Vida se publicó en Roma por primera vez en 1527, con el título *De Scachorum Ludo* y fue traducido a varias lenguas. Está compuesto por setecientos sesenta versos y el primero de ellos fue utilizado por André Philidor para ilustrar la portada de la edición inicial de su libro *L'Análise des échecs*. Sir William Jones, erudito inglés del siglo XVIII e interesado en la historia del ajedrez, escribió (hacia el siglo XVIII) un poema siguiendo el estilo de Vida y el de otro poeta de la época llamado Marino, quien en verso italiano publicó su *Adonis*, en buena medida traducción de la obra de Vida.

Todos estos testimonios nos muestran que el ajedrez ya está en la vida y en los escritos de grandes figuras de la prosa y de la lírica, lo mismo que de filósofos, poetas, cuentistas y novelistas. El testimonio de la Modernidad, en lo que a ajedrez y literatura se refiere, es mucho más fuerte que el de la Edad Media. A pesar de ser abundantes las manifestaciones literarias relativas al juego del ajedrez medieval, la principal vía de expresión de ese período es el género épico y no el lírico.

Para los medievales, cantar al ajedrez en verso épico era como cantar sus propias vidas; vidas temerarias, arriesgadas, en las que las heridas de guerra son condecoraciones y la sangre derramada se transforma luego en campo de gules al blasonar el escudo. Pero el hombre moderno tiene otra actitud vital, que se refleja en nuevas obras.

La era de los tratados

Vicent y Lucena inician, como hemos visto, la serie de los tratados de ajedrez en el sentido de lo que hoy entendemos por "tratados". La obra de Vicent se continúa con la de Damiano y se extiende en la de Ruy López de Segura, quien al ser traducido al italiano enciende la mecha de la tratadística en la península, cuyos puntales serán Salvio, Carrera, Greco, Piacenza, Della Mantia, Del Río, Lolli y otros, ya casi en los albores de la época contemporánea.

La producción de manuales de ajedrez se incrementó a mediados del siglo XVII, particularmente en Italia. En tales obras ya aparecen documentados históricamente los nuevos planteamientos técnicos y estratégicos que vencieron a Ruy López.

Comenzaremos con Giulio Cesare Polerio. Su primera aparición pública como ajedrecista la hizo acompañando a Leonardo, en Madrid, como criado suyo. A su regreso a Roma, logró ingresar al grupo de ajedrecistas patrocinado por el mecenazgo de Giacomo Buoncompagno, duque de Sora, quien lo benefició con una renta de trescientas coronas. A Polerio se le conocen seis manuscritos relativos al ajedrez. Todos están datados entre 1584 y 1601.

Horatio Gianutio della Mantia publicó su *Libro nel'quale si tratta la maniera di giuocar' á Scacchi* (Libro en el cual se trata la manera de jugar al ajedrez) en Turín, en 1597, dedicado al conde Francesco Martinengo di Malpaga. Se trata de un volumen muy raro, que contiene unas pocas aperturas y doce problemas, en no más de cincuenta páginas. Della Mantia es uno de los tratadistas que nos ofrecen algunas precisiones en cuanto al tema del enroque. Dice que se lo practica en toda España y en gran parte de Italia, aunque en muchos lugares se estila ubicar torre y rey a voluntad, y de esta última idea se hace eco, dándonos a entender que es la que piensa seguir.

Alessandro Salvio, abogado de profesión, es el autor de quien se conservan más obras publicadas. Aquille había sido el primero en escribir una tragicomedia basada en el juego del ajedrez, hacia 1516; casi un siglo después, Salvio emprende una obra semejante. Utilizando un título que recuerda a la obra mayor del poeta latino Virgilio —*La Eneida*—, escribe la *Scaccaide*. Este nombre, de todas maneras, no constituye una novedad, ya que algunas ediciones del libro de Vida aparecieron con ese título. Vida escribió en el género lírico y Salvio empleó el dramático.

Salvio pertenece a la escuela napolitana. En Nápoles aparecieron los dos libros que se conservan de su obra. El primero es de 1604 y se titula *Trattato dell'Inventione e arte liberale del gioco degli scacchi* (Tratado de la invención y arte liberal del juego de ajedrez). El segundo es de 1634. Hemos tenido la suerte de tenerlo en nuestras manos, cuando estuvimos en Río de Janeiro consultando la Biblioteca Nacional. Se titula *Il Puttino, altramente detto Il Cavaliere errante, del Dr. Alessandro Salvio, sopra il giuco degli Scacchi, con la sua apologia contra il Carrera.* (El muchachito, de otra forma llamado El caballero errante, del doctor Alessandro Salvio, con su apología contra Carrera.)

Pietro Carrera publicó su libro en la ciudad de Militello, en 1617. Se trata de un voluminoso ejemplar de 640 páginas. Carrera fue el inventor de un juego transformado, al que se le agregaban cuatro piezas nuevas para cada bando, los *centauros* y los *campiones*, con sus respectivos peones, que no llegó a prosperar.

Carrera polemizó agudamente con Salvio sobre temas de ajedrez, como el enroque. En 1635 Carrera publica, con el seudónimo de Valentino Vespaio su: *Risposta in difensa di D. Pietro Carrera, contra l'Apologia di Alessandro Salvio* (Respuesta en defensa de Pietro Carrera, contra la apología de Alejandro Salvio), en donde el autor fue terminante: *Il Salvio non merita di esser creduto in nulla* (Salvio no merece ser creído en nada). Esta obra, según asegura Murray, es de extrema rareza, y se conocen tan sólo tres copias: una está en la Biblioteca del Arsenal, en París; otra, en la Biblioteca Nacional de Catania y otra, en la de Palermo.

La contribución de Carrera a la teoría de las aperturas se limita a unas pocas variantes en torno del gambito del rey, aunque se dedica casi íntegramente a analizar la variante siciliana del juego. Probablemente, la apertura que en la actualidad lleva este nombre haya surgido entre los teóricos de la escuela en la que militaba Carrera.

Carrera incluyó en su libro una lista de los jugadores más fuertes de su tiempo, compuesta en su mayoría por italianos, aunque aparecen también españoles, como Ruy López, y algunos portugueses, como el rey Sebastián II. No faltan los personajes mitológicos, como Ulises y el famoso Palamedes, además de figuras de la nobleza y de la monarquía modernas y todo el mundillo intelectual y ajedrecístico de la Sicilia de sus tiempos. Es de notar que también aparecen mujeres, siendo ésta la referencia más antigua que poseemos de damas asociadas con el ajedrez, a excepción de la ya citada Dilaram.

Página del tratado de A. Salvio con la invitación del autor al juego del ajedrez.

Gioachino Greco, también llamado el Calabrés, nació en Celico, cerca de Cosenza, en 1600, aproximadamente y falleció hacia 1634. Aprendió ajedrez leyendo a Ruy López y fue el protegido de algunas figuras importantes de la clerecía peninsular. Dados sus escasos recursos económicos, abandonó la ciudad de Roma para deambular por las cortes europeas, con la finalidad de hacerse de algo de dinero con este juego. Si Salvio es la figura representativa de la escuela napolitana y Carrera lo es de la siciliana, Greco representa a la escuela calabresa, y la expresión *arrocamento a la calabrista,* que es el enroque actual, es de su autoría. Son muchas las cuestiones teóricas en las que Greco incursiona. Tal vez una de las más destacables sea la del enroque, por la que tanto habían debatido Carrera y Salvio, pero también hay planteamientos en torno a la teoría de las aperturas.

Antonius Van der Linden llegó a contar quince manuscritos del libro de Greco, que fue editado en inglés, en 1656. Se trata de una obra que gozó de gran popularidad. Fue objeto de análisis por parte de los estudiosos más de doscientos años después de su primera edición, lo que confirma el interés que despertó y lo prolongado de sus ediciones. En la Biblioteca Nacional de Río de Janeiro hay transcripciones, hechas en francés por Sansón, de grandes obras de la literatura ajedrecística, entre ellas, el libro de Greco. El editor de la obra desestimó todo lo anecdótico y lo histórico que el libro podía tener, para quedarse con lo estrictamente ajedrecístico.

> Greco representa a la escuela calabresa, y la expresión *arrocamento a la calabrista*, que es el enroque actual, es de su autoría.

El sirio naturalizado francés Philippe Stamma nació en Aleppo. Por ciertas amistades obtenidas en el partido político inglés de los *whig*, liderado por Slaughter, consiguió un importante puesto de intérprete de lenguas orientales para la corona británica, que ocupó por varios años. Stamma publicó en París la primera edición de su *Essai sur le Jeu des Échecs* (Ensayo sobre el juego de ajedrez). El libro, un volumen pequeño, se componía de cien finales, diagramados a la usanza musulmana (el tablero unicolor y las piezas anotadas en el casillero que ocupan en la posición). Allí sostenía que el juego del ajedrez había sido inventado en Oriente —en algún lugar geográficamente impreciso— y perfeccionado luego por los árabes.

Stamma desarrolló un sistema de notación algebraica, basándose en las observaciones que sobre el tema habían hecho previamente los musulmanes, entre los siglos XI y XIII. Este sistema de notación es el que finalmente se impuso y consiste en numerar cada línea del tablero del 1 al 8 y cada columna de la *a* a la *h* comenzando, desde la izquierda.

Stamma se midió con Philidor, quien lo venció en reiteradas ocasiones. No fue un jugador de gran fuerza, pero sí un muy buen compositor de finales, que se propuso recuperar el espíritu original del problema árabe, del clásico *mansuba.*

Por la época en la cual Stamma publica su libro aparecen también las obras de Cunningham, autor del famoso gambito que lleva su nombre. Hacia finales del siglo anterior se edita la primera historia del ajedrez: *Mandragorias,* escrita por Thomas Hyde, de la Universidad de Oxford, y publicada en 1694.

Mandragorias es la primera obra que plantea los orígenes indios del ajedrez. Es un libro muy raro, escrito en latín, en dos tomos, y que muy probablemente debió haberle servido de fuente al sirio-francés para reconstruir el final árabe original. Hyde poseía una importante colección de finales de ese origen.

Hacia la primera década del siglo XVIII, el ajedrez dejó de ser un pasatiempo exclusivo de la clase noble o dominante para formar parte también de los entretenimientos de todo el mundo. Así es como el ajedrez llega a las cafeterías y los parroquianos de la época, copa de por medio, hallan en el tablero escaqueado una forma placentera de evadirse del dominio de esposas, hijos y suegras.

CAPITULO VI
EL AJEDREZ EN EL SIGLO DE LAS LUCES

Dos caballos solos no pueden dar mate.
François A. D. Philidor

Una luminaria del tablero:
François André Danican Philidor

François André Danican Philidor es, como Ruy López, y en menor medida como Lucena, uno de los personajes a los que la afición ajedrecística asocia con algún tipo de mate o apertura o con alguna línea de juego, sin saber muy bien por qué y sin conocer demasiados datos sobre su biografía y sus reales aportes al juego. Lo cierto es que fue una verdadera luminaria del siglo XVIII, el Siglo de las Luces. En él confluyen dos vertientes: la del Antiguo Régimen, por las simpatías monárquico-aristocráticas que profesó, y el enciclopedismo iluminista, por su versación en las nuevas corrientes del pensamiento.

Philidor había nacido en 1726 en la ciudad de Dreux y en 1732, con apenas seis años de edad, ingresó al coro de la capilla. Tenía extraordinarias dotes para el canto y una gran sensibilidad musical, que dejó plasmadas en muchas obras. Mientras hacía sus primeras lides como coreuta, aprendió ajedrez mirando a los miembros de la Capilla Real, que, mientras esperaban la llegada del rey, lo jugaban en un banco cercano al santuario.

Este niño prodigio, que sorprendía al ambiente musical parisino del siglo XVIII con su exquisita sensibilidad y sus primeras composiciones religiosas, se transformaría, antes de cumplir los cuarenta años, en la figura indiscutida del ajedrez mundial hasta el advenimiento del genial Paul Morphy.

Ya crecido para el puesto en el coro y habiendo perdido su voz de niño, Philidor abandonó la *Chapelle Royale* de Versalles en 1740 y comenzó a frecuentar los cafés parisinos, sorprendiendo a los parroquianos con sus dotes ajedrecísticas. Allí se enfrentó varias veces con Légal, quien a la sazón era el ajedrecista más fuerte de Francia. Légal le daba el par de roques o torres de ventaja; pero en 1743, como señala Murray, ya no estaba en condiciones de darle ventaja alguna, puesto que André se perfeccionaba con gran rapidez y jugaba cada día con mayor destreza.

En 1744 André sorprendió a la afición parisina jugando partidas a ciegas, con dos oponentes a la vez. Tanto revuelo provocaron, que el Caballero de Jaucourt creyó conveniente incorporarlas al artículo sobre ajedrez que Diderot y D'Alembert pensaban incluir en su Enciclopedia, impresa entre 1751 y 1765. Por ese tiempo trabó amistad y se enfrentó con dos figuras claves de la época, Voltaire y Rousseau, ambos aficionados de no mucha fuerza ajedrecística, a quienes venció fácilmente en reiteradas oportunidades en el *Café de la Régence,* el círculo de la intelectualidad parisina que nucleaba a una pléyade de bohemios, literatos, plásticos, filósofos y jugadores. En esos tiempos el ajedrez ingresa en los lugares de diversión y es motivo de largas tertulias entre amigos, que entre tragos debaten sobre política y filosofía mientras juegan al ajedrez y a otros juegos.

Por aquellos años, Philidor subsistía como maestro de música, a la vez que como ajedrecista, pero sus progresos en ajedrez superaron ampliamente a todo lo demás, si bien escribió cerca de veinticinco óperas cómicas y llegó a recibir la crítica favorable del ambiente musical parisino de entonces. En 1745 partió hacia Holanda, con la intención de ofrecer una serie de conciertos en la ciudad de Amsterdam, junto con otros músicos, pero el proyecto concluyó con un rotundo fracaso cuando el director de esa pequeña cámara falleció. Philidor presiente que ha perdido la mayor ocasión de su vida para hacer valer sus dotes de compositor e instrumentista. Entonces decide adoptar al ajedrez como centro de su carrera profesional.

La marina británica se encontraba estacionada en el puerto de Amsterdam, lo que le proporcionó a Philidor un medio de vida, aceptando desafíos por dinero, en partidas de ajedrez y de damas. Allí trabó amistad con ciertos caballeros ingleses, que le arreglaron un encuentro con el sirio-francés Philippe Stamma, de quien ya nos ocupamos en el capítulo anterior.

Detalle de la partitura de la ópera "Tom Jones" compuesta por François André Danican Philidor.

En 1747, a los veintiún años, Philidor se hallaba en Londres, enfrentándose con Stamma. El match se llevó a cabo en un café llamado Slaughter's. André estaba tan seguro de su victoria que dio a su rival considerables ventajas, pese a las cuales triunfó en ocho de las diez partidas previstas. Hizo tablas en una y perdió la restante. No se conserva ninguna de las partidas del desafío Philidor-Stamma, lo que es de lamentar. Conociendo los méritos de los dos jugadores, podemos sospechar que fueron partidas de gran valor.

Dos años más tarde, regresa Philidor a La Haya y comienza a darle vida a su obra. Con el apoyo de sus incondicionales amigos ingleses, en su mayoría militares, que la financiaron, Philidor publica en francés, pero en Londres, la primera edición de su libro, aparecido en 1749. Dado lo reducido de su tirada —tan sólo 433 ejemplares—, es hoy una joya bibliográfica de difícil hallazgo. Pudimos ver en la Biblioteca Nacional de Río de Janeiro un ejemplar de esta primera edición, de la que poseemos copia fílmica.

François André Danican Philidor.

Philidor, comprobando el caos que aún en sus tiempos reinaba respecto de determinadas cuestiones técnicas, redactó, sobre la base de su experiencia y de sus propios conocimientos, el primer reglamento de ajedrez de que se tenga conocimiento. Este reglamento, hoy caduco, se encuentra en la *Historia general del ajedrez,* del español Julio Ganzo.

En 1750 aparece Philidor en Alemania, dando exhibiciones de

juego a ciegas frente a Federico el Grande, quien era músico aficionado y también afecto al ajedrez. Aparentemente, no se enfrentaron en el tablero.

André regresó a Francia después de nueve años de ausencia. Cuando todo el mundillo musical neoclásico de sus tiempos lo consideraba acabado como compositor, dio a conocer su *Ode on St. Cecilia's Day,* con textos del poeta inglés Alexander Pope (1688-1744). La obra se estrenó en el Haymarket Theatre, con gran éxito de público y crítica favorable de Händel.

Philidor sienta las bases del ajedrez de análisis, obteniendo reglas desde el tablero mismo, desde la partida en sí.

En 1770 se halla de regreso en Inglaterra y encuentra que los viejos templos del ajedrez londinense están despoblados. Sólo subsiste un *Chess's Club,* constituido por cien miembros, a tres guineas la suscripción. Sus miembros se proponen retener a André durante las primaveras en Londres; así es como, desde 1775 y hasta la Revolución Francesa, Philidor pasa la primavera en Londres y el resto del año en París.

Para estos años, André ya tenía esposa y cinco hijos adolescentes, lo cual, amén de crearle nuevas responsabilidades y obligaciones, le dificultaba enormemente trasladarse hacia las asociaciones ajedrecísticas de ambas márgenes del Canal de la Mancha. No obstante ello, y con el apoyo de sus amigos ingleses, Philidor saca una segunda edición de su libro en 1777, aumentada y corregida.

En 1783, el conde de Provence, futuro Luis XVIII, funda, a imagen de su similar londinense, el Club de París, cerca del *Palais Royal.* La suscripción era de cien francos por miembro.

Desde la primavera de 1793 y hasta su muerte, acaecida el 24 de agosto de 1795, Philidor permanece en Londres con su familia. Basterot nos dice que en su muerte pudo influir la denegación de una visa para toda su familia, a fin de regresar a París, y también el conocimiento de que figuraba como sospechoso en una lista negra elaborada por Robespierre.

La técnica de Philidor

Lo más sustancioso de la obra de Philidor como ajedrecista aparece en sus escritos y en el reglamento que le dio fama.

En sus escritos, se anticipa a lo que más tarde sería el juego científico: disecciona la partida con la intención de hallar leyes o algún orden lógico a la serie de movimientos y llega a la conclusión de que en ella aparecen líneas comunes. Fue, entonces, el primero en descubrir y asentar las bases lógicas del ajedrez. Llegó a establecer una tabla de finales, según cuáles sean las piezas sobrevivientes en el tablero. Veamos algunos:

- *Un peón solo no debe ganar, si el rey contrario está en oposición.*
- *Un peón solo puede ganar, si el rey está delante de él.*
- *Dos peones contra uno deben ganar en casi todos los casos, con tal que evite, el que los tenga, cambiar uno por el del adversario.*
- *Un peón y una pieza cualquiera deben ganar en todos los casos, exceptuando los peones de la torre cuando quedan con un alfil, que debe ser del color de la casilla donde se corona reina el peón; siendo el alfil de color contrario, son tablas.*
- *Dos caballos solos no pueden dar mate.*
- *Dos alfiles solos dan.*
- *Una torre contra un caballo, hace tablas el juego.*
- *Una torre contra un alfil, ídem.*
- *Una torre y un caballo, contra una torre, ídem.*
- *Una torre y un alfil, contra una reina, ídem.*
- *Una torre y un caballo, contra una reina, ídem.*

Todo el ajedrez de Philidor se desprende de su libro. Sin embargo, escribió poco; sus breves párrafos, a veces de tan sólo unas pocas líneas, son más bien apuntes aislados sobre una situación dada. Philidor sienta las bases del ajedrez de análisis, obteniendo reglas desde el tablero mismo, desde la partida en sí. Es el primero en plantear la teoría del final razonado, un paso adelante respecto de los *mansubat* árabes, que sólo presentaban situaciones de mate inminente y que estuvieron en boga en Europa por lo menos hasta la aparición del libro de Lucena, en el que ya se encuentran problemas que requieren más de diez movimientos para su resolución.

LOS ILUSTRES JUEGAN AL AJEDREZ

 Fueron jugadores de ajedrez el filósofo Leibnitz y el rey Federico I de Prusia, protector de Mozart.

 El pirata oficial de la reina Isabel I, el temible Sir Walter Raleigh, que tuvo intenciones de ser su amante, también solía incursionar en el tablero escaqueado.

 Martín Lutero fue un gran jugador. El infante Don Juan de Austria tenía una cámara de su palacio con el piso ajedrezado y jugaba allí con piezas vivientes, práctica muy común a lo largo de la historia, tanto en Oriente como en Occidente.

También se interesó por los gambitos, una línea desconocida fuera de Italia, y los estudió analizando variante por variante: el gambito de Salvio, el de Cunningham, el de Alep, el de la dama, el del rey. Dedicó todo un capítulo de su libro a este tipo de aperturas; en los restantes abordó juegos de defensa, finales estudiados en la *Tabla de estratagemas* y conclusiones de partidos.

Philidor sostenía que los peones eran el alma del ajedrez y que si se los menejaba adecuadamente, creando sólidas cadenas o logrando que pasaran a campo enemigo, se lograba el triunfo.

Fue también el primero en plantear la llamada *regla del alfil*, aplicable al final, según la cual cuando se tenga esta pieza sobreviviente en el tablero, será menester colocar los peones en casilla contraria a la del color del alfil, si se juega en ataque, para evitar que se constituyan en obstáculos a su marcha, y en casilla igual a la del alfil si se está en defensa.

"Cuando se halla el rey detrás de dos o tres peones que aún no se han jugado (o sea el rey enrocado) *y los ataca el adversario para romperlos y trata de abrir paso hacia vuestro rey* —escribe—, *es menester guardarse de no avanzar ninguno, a no ser indispensable, de lo contrario os expondríais a perder."*

Según otra regla general que enuncia Philidor, siempre se debe evitar el cambio de los peones del rey y de la reina por sus similares de los alfiles contrarios. Tal cosa no ha de hacerse, dice Philidor, puesto que tanto el peón del rey cuanto el de la reina, llevados al centro del tablero, constituyen una sólida defensa para la entrada de los trebejos adversarios.

Tanta importancia daba al juego de peones, que llegó a afirmar que en algunas situaciones es preferible jugar el rey antes que enrocar, para especular con la posibilidad de iniciar un ataque de peones del lado de donde se hubiese podido enrocar. También observa que, cuando se tienen peones pasados, para darles una posibilidad de avance seguro hacia la octava línea es conveniente cambiar los alfiles.

Es notorio que todas sus observaciones están extraídas de la experiencia misma y del estudio profundo, de jugar y confrontar las distintas situaciones, lo que otorga a su análisis ajedrecístico profundidades antes no conocidas.

A continuación transcribimos, comentando algunas de ellas, las diecisiete reglas que el maestro redactó para la "Sociedad o Club de Ajedrez de Londres" y que constituyen el primer intento serio por dotar al ajedrez de un reglamento unificado.

Las diecisiete reglas de Philidor

1. *El tablero debe colocarse de modo tal que ambos jugadores tengan las casillas blancas a su derecha.*

En numerosos grabados antiguos, las casillas **h1** y **a8** aparecen como negras, con lo cual se cambia la ubicación de la pareja real y por ende la dirección del juego, ya se que altera totalmente el sentido de muchas aperturas y la disposición de las piezas en los gambitos. Philidor, al ponerla en primer lugar, resalta su importancia.

2. *El que da una pieza debe ser mano, de no convenirse lo contrario. En partidas iguales, se echa suerte primero para la mano, siendo después alternativa.*

Aquí nos encontramos con la vieja cuestión acerca de quién debe jugar primero con blancas y quién con negras. Con respecto al ajedrez, por costumbre, se solía colocar un peón blanco en una mano y un peón negro o ninguno en la otra, y se decidía por la suerte quién jugaba con qué color. Pero Philidor propone algo más interesante todavía, y es el hecho de que, en caso de darse ventaja, la salida la tiene el jugador que da la ventaja.

3. *De olvidar un peón, o una pieza, al comenzar el juego, puede el adversario volverlo a comenzar o continuarlo, permitiendo se ponga la pieza olvidada.*

Esta regla es a todas luces lógica y no se presta a mayores comentarios ni ofrece datos para el análisis.

4. *Si se hubiese convenido dar un peón o una pieza y se olvidase de realizarlo al comenzar, puede aquel en cuyo perjuicio recaiga el olvido continuar el juego o volverlo a comenzar.*

5. Cuando se toca una pieza o un peón, se está obligado a jugarla, a no decir recalzo, a no ser que se la haya tocado para componerla por estar mal colocada, lo que se debe advertir con anterioridad.

El *recalzo* no es más que el *j'adoube*, o *acomodo*, expresión muy común utilizada para informar al adversario que la pieza estaba siendo reubicada en la casilla y que no se tenía intención de moverla; el no decir la frase citada implicaba, para el jugador que incurriese en esa falta, mover la tocada, aunque no fuese su voluntad el hacerlo.

6. Si se toca, sin decir recalzo, una pieza del adversario, éste puede obligar a tomarla, y de no poder ser, el que la ha tomado debe jugar su rey, si puede.

Caso semejante al de la regla 5, con la diferencia de que la pieza en cuestión podría ser la del adversario, al que se quiere hacer víctima de una celada.

7. Después de haberse soltado una pieza, no se puede volver a tomarla para ponerla en otra parte; pero mientras no se abandone, puede jugarse dondequiera.

Otra vieja práctica, consistente en que una vez depositada la pieza en alguna casilla correcta de acuerdo con su movimiento legal, ya no se podrá modificar la jugada.

8. Si por equivocación o algún otro motivo se hiciese una jugada errónea, el contrario puede obligar al que la hizo a que mueva el rey; pero no podrá reclamar rectificación alguna en caso de haber movido él también después de que el primero cometiera el error.

Esta regla refleja una vieja práctica y no requiere comentario alguno.

9. *Todo peón que llegue a la octava fila del tablero (la última de su marcha) habrá de coronarse reina, o cualquier otra pieza que se quiera, aunque subsistiesen todavía todas las piezas semejantes.*

Este es un tema particularmente importante, por ser el resultado final de una variedad de soluciones que se fueron tejiendo a lo largo de la historia del juego. Debemos tener en cuenta que en tiempos de Philidor era la regla que seguía el Club de Londres; no así el resto de Europa y mucho menos el Oriente. La coronación es un recurso muy antiguo; tal vez se trate del movimiento excepcional más antiguo del juego. Brunet y Bellet opina que el juego de damas no podía ser más antiguo que el ajedrez; sin embargo nosotros opinamos lo contrario y suponemos que la regla procede del juego de las damas. La idea central es la del soldado de infantería que después de dar muestras de heroísmo, después de haber sobrevivido a la lid, accede a las últimas líneas del enemigo; por lo tanto se hace acreedor de una distinción por sobre sus compañeros de lucha. Esta distinción tendría que constituirse, para ser un verdadero ascenso en el sentido militar del término, en un cambio de status en el campo de batalla. Esto no es ni más ni menos que la posibilidad de acceder al grado de reina, la pieza más potente del tablero.

Distintas opiniones generó la coronación, desde los tiempos antiguos hasta la era de los grandes maestros. Por ejemplo, Fréret, en una colaboración para la *Antiquarian Society,* sostenía: "Nada hay más absurdo que un peón, un soldado de infantería, que se hace dama pasando de la entereza y bravura de su sexo, a la debilidad del otro. En realidad la promoción debió haber sido a capitán, lugarteniente o visir, que para el caso bien responde a lo que los árabes entendían por firzán".

Un suceso que obligó a una toma de posición, previa consulta a los protagonistas del evento, fue el Torneo Internacional de 1851. Allí hizo falta una regla definitiva y se adoptó la coronación múltiple y en cualquier pieza del tablero, faltante o existente, con lo que el jugador podía tener tantas damas, caballos, alfiles y torres como peones poseyera. El reemplazo era inmediatamente posterior a la realización de la movida y no en dos movimientos como se estilaba antes.

Vemos entonces que los miembros del Club de Londres, con Philidor a la cabeza, se adelantaron cerca de ochenta años a la resolución definitiva de este movimiento, que tantas controversias produjo entre los ajedrecistas, durante mucho tiempo.

10. *Un peón tiene el privilegio de dar dos pasos la primera vez que se mueve; pero, en este caso, puede ser tomado al pasar por todo peón del adversario que esté en disposición de hacerlo, si no se le hubiese adelantado más que una casilla.*

Aquí vale lo mismo que para la regla anterior, aunque estas dos movidas excepcionales, que aparecen reunidas en una sola regla, carecen de la antigüedad de la coronación; sin embargo pertenecen al grupo de movidas que más atrajeron a los jugadores y a los estudiosos. Los italianos del siglo XVII, de quienes nos ocupamos en el capítulo anterior, llamaban a este movimiento *passar battaglia*. Las fuentes españolas de la misma época lo llaman así y mencionan la captura *a la italiana* de un peón adversario. No se practicaba de la misma manera en todas las regiones ajedrecísticas italianas (Calabria, Sicilia, Nápoles).

11. *Cuando el rey enroque, no debe saltar más que dos casillas; es decir que la torre con la cual enroca debe colocarse en la casilla inmediata al rey y éste, saltando por encima, se colocará al otro lado de la torre.*

La coronación, el enroque y la toma al paso fueron los asuntos que más interés despertaron entre jugadores y estudiosos. Un traductor español del libro añade: "El antiguo modo de enrocar en muchos países, y que existe aún en algunos puntos, dejaba al arbitrio del jugador todo el intervalo entre el rey y la torre, inclusive para colocar en él las dos piezas".

12. *El rey no puede enrocar estando en jaque, ni cuando acaba de moverse, ni cuando sufra un jaque al pasar, ni con una torre que ha cambiado de sitio; el que enrocare no pudiendo hacerlo, tendrá que jugar la torre, o el rey, a elección suya.*

En algunos lugares de Europa, todavía más severos, ni siquiera se permitía enrocar al rey que había recibido jaque, pero no se había movido de su lugar. Algunos teóricos consideraban que la ofensa ya había sido hecha y que por tal motivo la facultad de atrincherarse para resistir más al adversario quedaba perdida. Finalmente se adoptó esta regla, que permite enrocar al rey que ha sido jaqueado, siempre y cuando, para salir del jaque, no haya tenido que realizar movimiento alguno.

13. *Si el adversario da jaque sin advertirlo, no hay obligación de defenderse, y, por consiguiente, se puede jugar como si no existiese ese jaque; pero si a la jugada siguiente lo advierte, entonces ambos deben deshacer las últimas movidas mal jugadas como falsas, y salvar al rey del jaque en que se halla.*

Si apareciese un jaque y no se supiese determinar en qué momento se produjo cada jugador deberá deshacer sus movimientos, empezando por aquel que tenga el rey que es objeto del jaque, para seguir la partida, una vez subsanado el error.

14. *Si el adversario dijese jaque sin darlo y tocaseis vuestro rey o cualquier otra pieza, podéis volver a hacer vuestra jugada, con tal que el adversario no haya acabado de hacer su movimiento.*

Esta regla no ofrece mayores elementos para el análisis.

15. *Tocando una pieza que no se puede jugar sin ponerse en jaque, es menester jugar el rey; no pudiendo, no tendrá la falta ninguna consecuencia.*

16. *Cuando no hay nada que jugar y no hallándose el rey en jaque, no puede moverse sin estarlo, el juego es empate. En Inglaterra gana el juego aquel cuyo rey es empate. En Francia y otras naciones el empate son tablas.*

Estas son las *tablas por ahogado.* Recordemos que entre los árabes era, junto con el jaque mate y el rey robado —o sea despojado totalmente de sus piezas— una manera más de ganar la partida. Se observa aquí algo también comentado antes, sobre las distintas formas de entender esta situación especial.

17. *Cuando al concluir una partida se ve que el adversario no puede hacer los mates difíciles, como el del caballo y el alfil, contra el rey, o el de la torre y el alfil contra la torre, deben fijarse en cincuenta las movidas de cada lado, luego se reputará tablas.*

Esta es una regla diseñada por Ruy López; en la actualidad ese límite ha sido elevado a setenta y cinco.

La Escuela de Módena

Sin lugar a dudas, Philidor produjo una revolución muy grande en el ambiente ajedrecístico. Se puede decir que así como Lucena fija el punto intermedio entre el *shatranj* arábigo-medieval y el ajedrez nuestro, André establece el punto límite entre el ajedrez intuitivo y el inicio de la teoría; de aquí que se identifique también a esta etapa como *de la instauración de la teoría.*

Por cierto que toda etapa en el desenvolvimiento de un hecho histórico, ya sea artístico, científico o lúdico, como en nuestro caso, tiene sus cultores. Esta etapa del ajedrez también los tiene: son los *teóricos de la escuela modenesa,* que, a diferencia de la escuela anterior, reciben un juego ya muy evolucionado y se dedican a profundizar las líneas abiertas por el gran Philidor.

La aparición de los teóricos de la Escuela de Módena es contemporónea al desarrollo del sistema de Philidor. Así como toman ideas del gran maestro francés, también las critican, formulando un

"Café de la Régence."

replanteamiento del legado de los italianos de las generaciones anteriores, como Salvio, Greco, *el Calabrés* y otros.

La Escuela de Módena, a diferencia de la de Lombardía o la de Nápoles, no representa una manera de jugar sino *una teoría del juego*. Algunos de sus máximos exponentes rebatieron las ideas de Philidor; sobre todo la que sugería consolidar una fuerte cadena de peones en el centro del tablero.

En 1763 aparece el libro de Giambatista Lolli Modenese que, en opinión del gran maestro Lasker, supera a la obra de Philidor. El libro de Lolli, que supera las seiscientas páginas, está casi íntegramente dedicado al análisis de la obra de dos contemporáneos suyos, italianos como él, que junto con Lolli lideran el ajedrez peninsular del siglo XVIII: se trata de Domenico Lorenzo Ponziani, profesor de Derecho Civil de la Universidad local, y su colega, Ercole del Rio.

En opinión de Lasker, los *maestros modeneses* dieron suma importancia al tema de la movilidad de las piezas en el tablero. No interpretaron el movimiento del peón en la apertura como hecho fundamental o clave para el devenir posterior de la partida, como sostenía Philidor, sino en función del desarrollo ulterior de los trebejos mayores. Y criticaron la opinión de André, que era proclive a mantener consolidada una estructura de peones; recordemos que estaba convencido de que se podía derivar de dicha estructura de peones, ya a las puertas del final, la coronación de alguno de ellos. Esta diferencia en el tratamiento de las aperturas hizo al estilo italiano más bravo y brioso, aunque la escuela de Philidor siguió siendo rectora en Francia e Inglaterra.

En 1750 aparece un pequeño libro de ajedrez titulado *Sopra il giuoco degli scacchi, osservazioni pratiche d'anonimo autore modenese* (Sobre el juego de ajedrez, observaciones prácticas de un anónimo autor modenés). Contiene aperturas y finales. Es el más avanzado trabajo de su época en materia de aperturas, en opinión de Murray. Esta obra es de la autoría de Ercole del Rio; las aclaraciones que figuran junto al texto y complementan el panorama ajedrecístico, las hizo Lolli.

Una segunda edición estaba compuesta de tres partes, de las cuales la primera era la edición anterior, transcripta en forma íntegra. La segunda era un tratado de estrategias escrito por Del Rio con notas y comentarios de Lolli; la tercera era una colección de cien finales selectos.

Con la aparición, en 1766, del libro *Il Gioco degli scacchi* del conde Carlo Cozio, se cierra este período del análisis de las cuestiones técnicas y estratégicas en Italia. Un ejemplar del libro de Cozio, completo y en muy buen estado de conservación, se encuentra en la Biblioteca Nacional de Río de Janeiro.

El libro está dedicado al duque de Saboya. La primera parte

Portada de la primera edición del libro de
"anónimo autor modenés"
(ERCOLE DEL RÍO)

analiza los gambitos de la dama y del rey. Más adelante, alejándose un tanto del tema estratégico en particular, hace una breve incursión de tipo histórico. Afirma que el juego del ajedrez es una imagen imperfecta de la guerra, lo que no constituye una novedad particular.

La segunda parte contiene lo que el autor llama *Il giuco ordinario,* vale decir, el juego común, privado de las variantes regionales que continuaban en vigencia, al carecerse de un reglamento internacionalmente reconocido como válido.

La tercera parte está dedicada al *giuco calabrés,* una de las variantes regionales más en boga en Italia en los siglos XVII y XVIII.

La cuarta parte trata del jaque mate dado con peones, tema que interesó mucho a la Edad Media y al Renacimiento. Se puede decir que fue considerado uno de los más nobles mates que se pueden dar, dadas las limitadas fuerzas de la pieza más pobre del tablero.

Con respeto al enroque, Cozio sostiene que nunca ha de hacerse pasando por una casilla gobernada por un trebejo adversario, ni poniéndose en jaque. Señala que en algunos países (España, Estado de Roma y Reino de Nápoles) se estila pasar el rey por sobre la torre en dos movimientos. También estaba en vigencia la regla antigua, según la cual no se le permite al rey que enroca dar jaque con la torre al rey adversario.

Los peones pueden tomar al paso en toda Italia, Francia, Inglaterra y España. Cuando alguno de ellos arriba a la octava casilla, se hace dama o cualquier otra pieza, aunque en el tablero se encuentren la dama o la pieza en cuestión. En toda Italia el rey puede saltar como quiera (resabios antiguos). Si el rey ha recibido jaque, pero no se ha movido de su casilla, puede enrocar, excepto en Nápoles y Roma. Si una pieza ha sido mal jugada, el contrario tiene el derecho de retirarla del tablero. Para tocar una pieza y no moverla es preciso decir *J'adoube*, o *acomodo*. Después de cincuenta movimientos, sin posibilidad de mate para ninguno de los dos contrincantes, una partida será declarada tablas.

La Escuela de Módena, a diferencia de la de Lombardía o la de Nápoles, no representa una manera de jugar sino *una teoría del juego*.

Para jugar bien al ajedrez es preciso estudiar, leer a los maestros, practicar con buenos jugadores, declara Cozio. Como sugerencia estratégica, aconseja enrocar rápidamente y no perder tiempo en la captura de peones innecesarios.

Finalmente, en 1769, Ponziani da a conocer su *Giuco incomparabile degli cacchi* (Juego incomparable del ajedrez), siguiendo los principios de la Escuela Italiana. Ponziani divide su colección de aperturas en *juegos de ataque* y *juegos de defensa*.

El estilo moderno

A esta altura, es fácil comprender por qué un nuevo estilo ajedrecístico se impuso en toda Europa. El gran maestro Alekhine llamaba *remota* a la escuela de Lucena y López, y *antigua* a la de Philidor y los maestros modeneses, expresiones tal vez no demasiado felices, o al menos poco adecuadas a la verdadera dimensión de los aportes realizados por cada uno de estos autores en particular.

Tal vez el maestro no tuvo en cuenta todo el material anterior a Lucena. En rigor, puede hablarse de un *ajedrez remoto* para designar al *shatranj* arábigo-medieval, que fue injustamente apartado de la escala de la evolución estilística, habiendo sido cultivado por grandes personalidades, tanto de Oriente como de Occidente a la par que generaba joyas en el terreno de la composición, como en el ya citado "problema de Dilaram".

Con el mismo criterio se puede discutir si lo hecho por Philidor es, estrictamente hablando, *antiguo.* En la etapa anterior a Philidor, toda la estrategia se reducía a tender trampas al rival, con el simple objeto de obtener alguna ventaja, ya fuese temporal o material. Philidor y los grandes maestros de la escuela modenesa avanzaron sobre la *combinación.* Con este último paso, el ajedrez se fue convirtiendo en el juego razonado que es hoy.

El estilo moderno es el resultado de la aplicación del análisis, por sobre la celada o trampa de los tiempos de Ruy López. En ese sentido Philidor se encuentra a considerable distancia de este maestro y sus contemporáneos.

CAPITULO VII

EL AJEDREZ EN EL ROMANTICISMO

El valor de las piezas dejaba de ser el propio.
Alejandro Aparicio

Los cambios del nuevo siglo

El siglo XVIII, el de las Luces, concluye cuando un ignoto general corso, de apellido Bonaparte, hijo de la Revolución francesa, acaba con el último director de la República —Barràs— y se proclama cónsul vitalicio, resucitando una dignidad de la antigua Roma. En poco tiempo más pasará a ser "emperador de todos los franceses".

Las ideas revolucionarias quedan momentáneamente oscurecidas y Napoleón encabeza su propia revolución, fundando una era que lleva su nombre. Tres objetivos básicos lo guían: extender las fronteras de Francia (idea que toma del cardenal Richelieu, quien lo había intentado mucho antes); acabar con los restos del dominio hispano de ultramar, favoreciendo la emancipación de sus colonias americanas, y desplazar a Inglaterra del dominio de los mares.

El epicentro del ajedrez se traslada a las naciones que baña el Canal de la Mancha: Inglaterra y Francia. Al mismo tiempo, decaen los países que habían sido líderes en esta materia, en particular España e Italia.

El Romanticismo

El siglo XIX es, entre muchas otras cosas, la época en que alcanza su máximo desarrollo el movimiento conocido como Romanticismo, cuya presencia en todas las manifestaciones artísticas es realmente poderosa. El apasionamiento, que es una de sus facetas, aparece también en el ajedrez.

La pasión es el motor de esta época de la historia. El estilo romántico se reconoce ampliamente en las manifestaciones culturales, muy especialmente en la literatura. Todo un ideal estético nuevo, que también alcanza a la vida humana, domina la escena. El concepto de pasión no se reduce a lo amoroso. François Sorel, protagonista de la novela *Rojo y negro*, de Stendhal, es un típico héroe romántico, por la manera en que avanza socialmente, trepando y ganando posiciones, hasta que acaba su vida en una cárcel, aceptando su destino con romántica resignación.

"Romántico" está estrechamente vinculado con "fogoso". El ajedrez romántico tiene pasión y fuego. Dos partidas jugadas por el genial maesto alemán Andersen lo representan especialmente, se las conoce como "La Inmortal" y la "Siempre Viva". Andersen resultó ser el primer campeón del mundo, al adjudicarse el torneo internacional de 1851.

El ajedrez romántico se ha caracterizado por el sacrificio: sacrificar una pieza, dos o tres, en los más brillantes ejemplos, para abrir una línea de juego, para llevar adelante un plan de ataque, fue el *modus operandi* de aquella generación de ajedrecistas. Sacrificar la dama para ganar la partida en unas pocas jugadas más es algo propio de un tiempo muy especial, de amores no correspondidos y pasiones nacionalistas.

En el *Curso de ajedrez,* de Aníbal Aparicio, se plantea el problema de los estilos en el ajedrez y especialmente el propio de este período romántico. Nos dice que por el año 1830 se publicó en Berlín el *Handbuch des Schachspiels* (Manual de ajedrez), una enciclopedia de aperturas escrita por Bilguer y Von der Lasa, con cerca de cinco mil variantes. Estas precisiones fueron derribadas, al decir del gran maestro Alekhine, por "el nuevo alud de ideas que pronto revolucionaría la teoría".

Las partidas del período romántico "se caracterizaban por su extraordinaria originalidad y el valor de las piezas dejaba de ser el propio". Los motivos que guían los brillantes sacrificios no siempre quedaban en claro para el común de las personas. Los factores psíquicos fueron incorporados a la estrategia, y la combinación magnífica fue la más reconocida entre las armas de combate. Esto obligaba a disponer de una imaginación variada y fecunda.

El alemán Adolf Anderssen (1818-1879),
fue considerado
el primer campeón mundial no oficial.

El máximo exponente de esta corriente fue el ya citado Andersen, catedrático universitario de matemática, nacido en 1818. Fue la estrella más brillante del ajedrez del siglo XIX, hasta la aparición del norteamericano Paul Morphy.

Los duelos del siglo XIX

En la historia del ajedrez, ésta fue una etapa agitada, caracterizada por combates personales que excedieron los límites del tablero. Una guerra de nervios, acusaciones, diatribas y ataques al por mayor recorrió los ambientes ajedrecísticos europeos, y su virulencia se hizo escuchar en los medios de comunicación.

Resurgió la gran rivalidad entre ambas orillas del Canal de la Mancha, protagonizada por cuatro grandes figuras del ajedrez: McDonell y Staunton por Inglaterra, y Mahé de Labourdonnais y Saint-Amant, por Francia. Labourdonnais se midió con McDonell; Staunton, con Saint-Amant.

El primero de los enfrentamientos se produjo entre el verano y el otoño de 1834, y fue la primera vez que un acontecimiento ajedrecístico recibía adecuada cobertura periodística. El interés general despertado por estos duelos fue enorme y la prensa estaba ya en condiciones de satisfacer las necesidades informativas de un público masivo. Aunque los detalles de las partidas no son totalmente conocidos, se sabe que Labourdonnais ganó la mayoría de sus juegos.

El duelo franco-inglés tiene un límite debido a la muerte de McDonell, en 1835 y de Labourdonnais, en 1840, después de un largo encuentro, a través de ochenta y cuatro partidas. Continuaron la batalla Staunton y Saint-Amant, en París, en el último tramo del otoño de 1843. De las veintiuna partidas que jugaron, Staunton ganó once, perdió seis y entabló cuatro. El encuentro tuvo un notable éxito de público, que siguió, con un entusiasmo antes no visto, sus distintas etapas. El triunfo de Staunton lo convirtió en el líder indiscutido del ajedrez, en ambas márgenes del Canal.

El ajedrez en Alemania

Para esta época, aparece en Alemania una generación de jugadores conocida como "La *Pléyade* de Berlín". Existía en esa ciudad un club de ajedrez, aunque sus miembros no alcanzaban el nivel de los jugadores de otras latitudes europeas. Pero desde 1830 aparece allí una asociación de la cual saldrían las primeras figuras del ajedrez germano. En ella se desarrollaron las llamadas *Siete estrellas de Berlín*: Bledow, Hanstein, Mayet, Horwitz (también conocido por su pintura), Schorn, Und der Lasa y Bilguer.

Thassilo Und der Lasa fue quien descubrió, siendo embajador del Imperio alemán en Río de Janeiro, un ejemplar del libro de Lucena, que junto con el que se encuentra en México son los dos únicos representantes de este raro tratado español en América latina. La obra llegó a Brasil cuando la corte portuguesa de Braganza, huyendo de la invasión napoleónica y a sugerencia de los ingleses, trasladó la sede de la monarquía peninsular a la ciudad carioca.

Los ajedrecistas alemanes que formaban parte de la asociación tenían un propósito común. Inmersos en un nacionalismo que se hallaba en su faz emergente —que después asumió dimensiones trágicas—, se propusieron dotar a su país de lo que ya tenían sus colegas ingleses y franceses: manuales, libros y revistas de ajedrez. Un libro de Bilguer y Und der Lasa se publicó por entonces, con mucho éxito. Murray señala, en su trabajo de 1913, en los albores de la Primera Guerra Mundial, que la obra tenía ya ocho ediciones y se hallaba en prensa una novena.

Especial interés tienen dos libros de esta época, *Zur Geschichte und Literatur des Schachspiels* (Investigación y literatura sobre el ajedrez), de 1874, y *Quellenstudien* (Algunos estudios), de

1881. Se trata de dos obras de suma importancia para la investigación histórica, pues recogen toda la producción histórico-bibliográfica producida por el juego en Occidente.

1851: El Primer Campeonato del Mundo

Bledow, uno de los ajedrecistas alemanes de los cuales nos acabamos de ocupar, dirige una carta a Und der Lasa en 1843, sugiriendo que sería interesante organizar una gran olimpíada de ajedrez. Este era el último peldaño a subir antes de que el juego obtuviese el definitivo y justificado reconocimiento mundial.

A partir de esta inquietud de Bledow, se creó el Comité Olímpico Organizador, cristalizado finalmente en la Federación Internacional del Ajedrez (FIDE), fundada en 1924. Esta entidad es la que hoy asigna los ránking ELO a todos los ajedrecistas del mundo. Tiene su sede en París y organiza los campeonatos mundiales.

El primer torneo mundial se realizó en Londres, en 1851, coincidiendo con la Exposición Internacional que tuvo lugar ese mismo año en la capital británica y fue parte de los festejos.

Howard Staunton, el héroe de la lucha Inglaterra-Francia, fue uno de los secretarios del Comité Olímpico. Participaron dieciséis competidores y el sistema de juego fue por simple eliminación. Cada par de rivales jugaba un encuentro previo, de un número reducido de partidas, y el vencedor pasaba a la ronda siguiente. Adolf Andersen, de quien nos hemos ocupado ya, maestro de la escuela de Breslau y una de las más importantes figuras del ajedrez de aquellos tiempos, se adjudicó el torneo y se transformó en el jugador más importante de Europa. Con su triunfo, el cetro del ajedrez pasó a Alemania.

Paul Morphy fue el primer gran ajedrecista nacido en América, más precisamente en la ciudad de Nueva Orleans, en 1837. De débil contextura y no muy buena salud, Morphy derrotó a los veinte años de edad, tan sólo seis años después del torneo internacional, al primer campeón del mundo, con siete victorias, dos derrotas y dos tablas.

En 1884, cuando tenía 47 años, Morphy fue hallado muerto por su madre en el baño de la casa en que vivía. Pudo haber sido un suicidio, pero la hipótesis más plausible supone que fue víctima de uno de los ataques que lo aquejaban a menudo. Su frustrado intento de enfrentarse con Staunton y el poco eco que halló su desafío de jugar ofreciendo un peón de ventaja y la salida, posiblemente hayan influido sobre su espíritu enfermizo, acelerando su dolencia y dándole el golpe mortal que acabó prematuramente con su vida.

Paul Morphy

El periodismo ajedrecístico

A mediados del siglo XIX y en consonancia con el enorme interés mundial despertado por el ajedrez, el periodismo empezó a ocuparse sistemáticamente de él. Una de las formas de estos primeros intentos fueron las *columnas* publicadas en los diarios de mayor circulación, como la que firmaba Egerton Smith en el *Liverpool Mercury*, desde julio de 1813 hasta agosto de 1814, probablemente la más antigua en su género. Howard Staunton mantuvo una columna en el *Illustrated London News*, que salió desde 1842 hasta 1874, fecha de la muerte de su autor. Otro columnista continuó su tarea.

En 1836 comienza a salir la primera revista dedicada exclusivamente al ajedrez. Su título, *Le Palamède*, recuerda al mítico inventor del juego. Como lo hemos mostrado en este trabajo, costó bastante reconocer que el héroe pelazgo no era el inventor del ajedrez, y los hombres cultos de este período de la historia estaban totalmente sumergidos en las fuentes clásicas, lo que les resultaba un obstáculo para admitir el origen oriental del juego. La primera época de *Le Palamède* cubrió los años que van desde 1836 hasta 1839. Una segunda serie comenzó a salir en 1842 y desapareció, definitivamente, en 1847.

Dirigida por George Walker, la primera publicación inglesa de ajedrez se llamó *The Philidorian*, a modo de tributo al hombre que tanto había hecho por el juego de ajedrez insular desde su exilio. Se publicó solamente en 1838, pero Staunton inicia su *Chess's Players Chronicle,* primero como la sección de ajedrez de la *British Miscellany* y después en forma independiente. Esta publicación salió en tres series; la primera y más larga, hasta 1852, la segunda desde 1853 hasta 1856 y la tercera de 1859 hasta 1862.

Las *siete estrellas* alemanas también publicaron su revista. Para 1913, época en la cual Murray escribió su libro, continuaba editándose en forma ininterrumpida, desde 1846.

Los holandeses, que tenían una visión más clara del origen del ajedrez, publicaron *Sissa*, en homenaje al brahmán de la leyenda. Otras revistas que incursionaron en el campo de la historiografía del ajedrez fueron *La Stratégie*, de 1867, continuadora en buena medida de *Le Palamède* y el *British Chess Magazine,* fundado en 1881. De la misma época son algunas revistas austríacas, como la *Wiener Schachzeitung.*

La evolución del periodismo ajedrecístico, entre fines del siglo pasado y el actual, ha sido impresionante, una reseña de su desarrollo excedería los límites de este trabajo. El creciente número de aficionados y su interés por conocer el mundo del ajedrez y los hombres que se destacan en el juego ha dado origen a un sinnúmero de publicaciones especializadas, además de las secciones fijas que se encuentran en los diarios o revistas de circulación masiva.

Algunos de los conocidos jugadores del siglo XIX en Inglaterra: J. J. Löwenthal, J. A. de Rivière, M. Wyville, E. K. Falkbeer, y otros.

CAPITULO VIII
SIGLO XX, UN LARGO CAMINO

Demasiado juego para ser serio
y demasiado serio para ser juego.

Gothod Ephraim Lessing

La nueva perspectiva

A partir del siglo XX, el ajedrez evolucionó de manera muy acelerada. En este libro se pone el énfasis en la etapa que va desde los más remotos orígenes hasta el siglo XIX. El ajedrez de fines de ese siglo y el que ha crecido vertiginosamente en el nuestro tiene un vigor y una extensión, en calidad y cantidad, que impone una investigación específica. Sobre este tema existen, por otra parte, trabajos de primer nivel, como el del profesor Zoilo Caputo, ya señalado en estas páginas.

Daremos acá un resumen sucinto de lo que ha ocurrido en el vertiginoso tiempo contemporáneo, en el cual el ajedrez alcanzó un altísmo punto en su desarrollo, hasta entrar en una nueva e imprevista batalla contra la computadora.

El tiempo más reciente del ajedrez es, en principio, una época fecunda como ninguna otra en el estudio científico de sus secretos, borrosamente vislumbrado por los creadores del juego y descubierto, con asombro creciente, por las grandes figuras que jalonan su historia.

El ajedrez ha dejado de ser, hace ya mucho tiempo, el privilegio de reyes o nobles desocupados y alcanza a toda la sociedad. Los soportes materiales (tablero, piezas) en función del impresionante crecimiento tecnológico de nuestros días, han relegado a los museos las bellezas magníficas de los grandes artistas. El juego se democratiza y adquiere una difusión y un interés mundial que antes nunca tuvo.

En consecuencia, es nuestra época la más rica en jugadores y teóricos. Nuestro rastreo histórico encontró algunos hombres excepcionales, que hicieron de ariete en el proceso de desarrollo del juego. Ahora podemos construir interminables listas, de grandes maestros, de torneos de todo tipo, de competencias zonales y barriales. El ajedrez está en todas partes, y en algunos países continúa siendo una de las grandes pasiones populares.

Los grandes maestros

Una manera relativamente simple de seguir el desarrollo del ajedrez en los tiempos contemporáneos consiste en distinguir épocas asociadas al esplendor de grandes maestros, cuyos nombres permanecen en la conciencia de los especialistas y aficionados. Cada uno de ellos está vinculado con los poderosos cambios que la estrategia del juego iba generando, profundizando, en una medida antes no vista, el carácter científico del juego.

Wilhem Steinitz

Nacido en Praga en 1836 y fallecido en 1900, es uno de esos grandes maestros cuyo paso por el ajedrez dejó huellas imborrables. Fue un brillante jugador, y su teoría constituye una de las bases del juego más reciente.

Steinitz formula puntos clave en la teoría del ajedrez. Afirma, por ejemplo, que es necesario construir una posición sólida y formar puntos débiles en el campo enemigo, para luego aprovecharlos. Igualmente señala que es fundamental la acumulación de pequeñas ventajas y que el jugador, en el curso de la partida, debe preparar un final ventajoso. Para este brillante maestro, el rey debe ser considerado una pieza fuerte, tanto en el ataque como en la defensa.

Emmanuel Lasker

Nacido en Alemania en 1868, este magnífico jugador planteó su tarea con originales actitudes frente a sus adversarios. Es el iniciador más claro del juego psicológico, que consiste en plantear la lucha "de nervios". Estudioso de las partidas, pero también de las flaquezas del adversario, solía proponer no las

Alhekine-Bogojukov. Emanuel Lasker mira.

mejores jugadas sino las que más pudieran molestar al rival. A veces bordeaba los límites de lo teóricamente correcto, arriesgando movimientos que lo podían llevar a la derrota. En su lucha psicológica, era capaz de forzar situaciones de victoria en partidas que parecían forzosamente de tablas.

José Raúl Capablanca

Nació en La Habana, en 1888, en el seno de un pueblo que ha cultivado una especial afición al juego de ajedrez. Su fama es también poderosa y ha dejado muestras de una manera de jugar que conmocionó a los públicos, en una época en la cual las comunicaciones habían crecido ya en forma suficiente como para generar un interés mundial por un torneo o una partida.

Una característica fundamental de este gran maestro cubano es la sencillez arrebatadora. En 1921 derrota a Lasker en La Habana, ganándole cuatro partidas y entablando las seis restantes. Su rauda carrera de campeón se extiende hasta 1927, en que resulta derrotado por Alekhine, en un torneo realizado en Buenos Aires. Tras un alejamiento de la escena, retorna a ella, pero no con el fulgor de los viejos tiempos. Capablanca murió en Nueva York, en 1942.

José Capablanca

Alejandro Alekhine

Nacido en Rusia en 1892, cuando se nacionalizó francés adoptó para su apellido, "Alejin", la grafía "Alekhine".

Su aparición está ligada al comienzo del gran poderío del ajedrez ruso en el ámbito mundial, en total sintonía con una notable difusión del juego entre la población de ese país. Como la mayoría de los grandes ajedrecistas, fue un talento precoz. En 1909, a la edad de 17 años, obtuvo el título de Maestro de ajedrez. En los ambientes ajedrecísticos se lo reconoce como el modelo del luchador por definición: dominó todos los estilos, aportó nuevas variantes y refutó posiciones teóricas que parecían intocables. Cuando falleció, en 1946, dejó vacante el título de campeón del ajedrez mundial.

Mijail Botvinik

La Federación Internacional de Ajedrez debió organizar en 1948 un torneo para cubrir la corona que Alekhine había dejado vacante. Un selecto número de aspirantes se presentó para competir, entre los cuales se encontraban Botvinik, Reshevsky, Keres, Euwe, Fine y Smyslov. Mijail Botvinik, favorito en el grupo, se consagró campeón en un torneo que se desarrolló primero en La Habana y después en Moscú, superando con 14 puntos a Smyslov, que acumuló 11.

Nacido en Leningrado (actual San Petersburgo) en 1911, ciñó la corona mayor entre 1948 y 1963. En ese lapso perdió el cetro en dos ocasiones, en 1957 contra Smislov y en 1960 contra Tal. A raíz de esas derrotas se dedicó a estudiar las cualidades y los puntos débiles de sus grandes adversarios, y su paciente tarea le permitió recuperar el cetro al año siguiente de cada una de las pérdidas. Finalmente, en 1963 lo derrotó Tigran Petrosian, pero la FIDE le negó a Botvinik la posibilidad de una revancha, lo que lo alejó definitivamente del cetro mundial.

El ajedrez de Botvinik, un ingeniero electrónico, es perfecto, aunque no brillante.

Tigran Petrosian

Armenio, nacido en Tiflis, es el contrajugador típico, que espera la jugada del adversario para ganarle con paciencia y sin alterarse jamás. Fue campeón mundial entre 1963 y 1969.

Miguel Najdorf

Escapando de los horrores de la Segunda Guerra Mundial, llegó a Buenos Aires en 1939 y se hizo ciudadano argentino.

Obtuvo muchos triunfos, aunque no llegó al podio máximo mundial. Su hazaña mayor, rodeada de circunstancias dramáticas, fue jugar 45 partidas simultáneas a la ciega, en 1947, en la ciudad brasileña de San Pablo, batiendo su propio récord y ganando el título máximo de esa especialidad.

A Najdorf no lo movió solamente el deseo de competir, sino también el de lograr el interés de los medios de comunicación, como una manera para volver a conectarse con sus seres queridos, desaparecidos durante el terrible conflicto mundial. Najdorf, recientemente fallecido, llevó a límites maravillosos lo que iniciaron los predecesores renacentistas que nos ocuparon en páginas anteriores.

Miguel Najdorf

Robert "Bobby" Fischer

Nacido en 1943 en Nueva York, Fischer es uno de los hombres que logró una poderosa adhesión mundial, incluso fuera de la afición del ajedrez. Por su estilo brillante y por su prematuro retiro, generó en torno a él una verdadera leyenda. Amigo de jugar en el filo de la navaja, consiguió la corona mundial en Buenos Aires, enfrentando a Tigran Petrosian, al que derrotó en 1971. Volvió a triunfar en 1972, contra Spassky, pero no quiso defender su cetro en 1975, ante Karpov.

Boris Spassky

Nacido en Leningrado, actual San Petersburgo, en 1937, fue campeón mundial desde 1969 hasta 1972. Se lo caracteriza y se lo recuerda por su talento natural, su practicidad y su pragmatismo. Bobby Fischer, como queda dicho, lo derrotó en 1972.

Mijail Tal

Nacido en Riga en 1936, fue llamado "el rey de la combinación". Su estilo estaba próximo al de los grandes maestros del Romanticismo, lo que se advertía en gestos que ya no se hallan con

Bobby Fischer

facilidad, como la arriesgada entrega de piezas. Fue uno de los que derrotaron a Botvinik. Su victoria de 1960 se trocó una derrota, al año siguiente, después del paciente análisis del viejo maestro.

Vasyli Smislov

Nacido en Moscú en 1921, fue otro de los que se destacaron por el juego posicional, robusto y perseverante. Tuvo éxito contra Botvinik, en 1957, pero perdió el título en la revancha, al año siguiente.

Boris Spassky

Anatoli Karpov y Gari Kasparov

Los últimos años del siglo **XX** han estado presididos por dos figuras de excepción, que se han enfrentado muchas veces, no sólo por razones ajedrecísticas sino también por motivos políticos: Anatoli Karpov y Gari Kasparov.

Nacido en 1951 en la ex Leningrado, Karpov se convirtió en campeón del mundo de una manera burocrática, cuando el trono quedó vacante ante la retirada de Fischer. Triunfó después ante brillantes maestros, aunque estuvo a punto de caer ante Víctor Korchnoi. Entre 1984 y 1985 midió sus fuerzas con el juvenil Gari Kasparov, nacido en 1963. Después de un accidentado torneo, perdió el cetro ante su desafiante, quien retiene el título mundial desde entonces.

Karpov, un experimentado luchador, incluso en tácticas psicológicas y políticas, se enfrenta con el juego de Kasparov, de una poderosa fascinación y una increíble velocidad. Karpov respondió al comunismo y Kasparov se posicionó en la vereda contraria.

Kasparov y *Deep Blue*

Hace ya varias décadas hicieron su aparición las computadoras que podían jugar al ajedrez. Las primeras, todavía rudimentarias, no eran capaces de hazañas mayores. Las más modernas, como la famosa *Deep Blue,* con la que se ha enfrentado el gran campeón mundial, Kasparov, están en condiciones de derrotar a grandes maestros, incluyéndolo a él.

Esta situación nos hace reflexionar sobre la naturaleza de lo que hace la máquina, en relación con el proceso que se desarrolla en el cerebro humano. Son muchos los que piensan que lo hecho por la computadora es pensamiento, equiparable al nuestro, y que ese poder podría extenderse a todo tipo de actividad intelectual, incluso contra los humanos (ese temor aparece ilustrado en la famosa película *2001. Odisea del espacio*, donde la computadora toma el poder en la nave). Pero lo que hace la máquina, pese a la apariencia externa, no es igual a lo que realiza el

Gari Kasparov

hombre. En ajedrez, la máquina puede calcular y evaluar posiciones de una manera mucho más rápida que lo que está en las posibilidades de cualquier hombre, aun del más poderoso campeón. Pero el juego de la computadora depende de lo que se le ha incorporado y de las reglas que se le han dado para que evalúe cada posición y proceda en consecuencia. Cuanto más grande sea su base de datos y su velocidad de procesamiento, más cerca estará de vencer a un jugador humano, aunque sea el más poderoso de los maestros.

En realidad, el juego de la computadora es estúpido. Kasparov, reflexionando sobre el ajedrez, puede hallar una novedad, cosa vedada a la máquina, salvo como consecuencia del azar. En la batalla contra el tiempo y contra un adversario humano que se cansa, es emocionalmente frágil y se puede equivocar, la máquina puede mostrar ventajas, pero difícilmente nos deslumbrará con un auténtico descubrimiento.

El reglamento actual

El ajedrez se ha transformado en función de necesidades profundas de las sociedades que lo practicaron y su magnificencia actual es el resultado último de una tarea colectiva que ha llevado varios miles de años. El reglamento oficial del juego de ajedrez puede aclarar muchos puntos oscuros al aficionado. Al lector de este libro le va a servir, seguramente, para poder revivir las peripecias seguidas por su práctica a través de la historia. Es casi innecesario decir que esos cambios no son arbitrarios, como lo hemos visto a propósito de los que no pudieron cuajar.

Artículo 1º. Los jugadores deben tener a su derecha la casilla angular blanca del tablero. Si el tablero estuviera mal colocado, cualquiera de los dos que se apercibiera, antes de efectuar la cuarta jugada, podrá exigir que se vuelva a comenzar la partida, pero después de efectuada la cuarta jugada la partida será válida y no podrá volver a ser comenzada.

Artículo 2º. Si las piezas están mal colocadas, cualquiera que se aperciba podrá rectificar o hacer rectificar esa irregularidad, antes de hacer su cuarta jugada, pero si ésta ya ha sido realizada la partida deberá continuar con la posición en que se hallen las piezas.

Artículo 3º. Si se ha comenzado la partida con una pieza o un peón de menos, habiéndose realizado la cuarta jugada por parte de ambos será obligatorio terminar la partida sin que se pueda colocar en el tablero la pieza o peón que faltaba.

Artículo 4º. Si se ha convenido en dar de ventaja un peón o una pieza y se ha comenzado la partida sin ese requisito, en el curso de ella no podrá admitirse que sea quitado del tablero ese peón o pieza; la partida se continuará como esté y el que debía recibir la ventaja no podrá perder la partida; en el peor de los casos, la partida se considerará tablas.

¿RAZAS EN EL AJEDREZ?

Julio Ganzo, cuya *Historia general del ajedrez* ya hemos comentado, afirma: *"las razas eslava y semita son, sin duda, las que mayor porcentaje de grandes maestros han proporcionado al ajedrez de todos los tiempos"*.

En realidad, las raíces psicológicas del ajedrez están enraizadas en el común capital intelectual de los seres humanos y no está vedado a persona alguna, como queda demostrado, precisamente, por su larga historia: nacido en Oriente, difundido por los árabes, tomado por los pueblos occidentales europeos y llevado por ellos a los mayores límites de profundidad y de excelencia, ha encontrado en la ex Unión Soviética primero y luego en los países que sobrevivieron a su desaparición, un terreno particularmente fértil. Pueblos que lo cultivaron profundamente, como el árabe, en la actualidad lo han relegado en sus intereses, mientras que los rusos se posesionaron de él de una notable manera.

Es difícil establecer vínculos seguros entre idiosincrasias nacionales o raciales y predisposición para el ajedrez. Si lo racial carece de sentido, la explicación debe venir por el lado de la conciencia colectiva que se forma en determinadas comunidades. Una explicación interesante tal vez reside en los incentivos dados en determinados países a la práctica del juego, comenzando por su enseñanza y práctica en el hogar y en la escuela.

Artículo 5º. En las partidas que se jueguen mano a mano, la salida la determinará la suerte, alternando en las partidas siguientes, cuando no hayan resultado tablas. La salida corresponderá siempre a quien dé una pieza de ventaja.

Artículo 6º. En caso de dificultad en el color, sea partido mano a mano o con ventaja, la elección del color será echada a suerte para toda la sesión.

Artículo 7º. Cuando se otorgue la ventaja de peón, éste será el del alfil del rey. En caso de que la ventaja sea de varias jugadas, es condición de no pasar de su terreno, es decir, de la mitad del tablero.

Artículo 8º. Cuando se ha tocado una pieza, se está obligado a jugarla, a menos que se diga, en el momento de tocarla, "compongo". Si una pieza no está bien colocada en el tablero no podrá colocarse bien sin la obligación de ser jugada, a no ser que se diga "compongo".

Artículo 9º. Cuando se ha tomado una pieza, no se la puede soltar para jugar otra, pero en tanto no se la abandone se la puede jugar a la casilla que se desee.

Artículo 10º. Cuando se toca una pieza del adversario sin decir "compongo", puede obligarse a que la capture. Si la pieza no puede ser capturada, deberá hacer una jugada con el rey, y si tampoco fuera posible, la falta no tendrá consecuencias.

Artículo 11º. Si se juega por equivocación una pieza del adversario en lugar de la suya, él puede elegir entre obligarle a tomar dicha pieza, si es capturable, o hacerla volver a su sitio, o dejarla donde ha sido jugada.

Artículo 12º. Si se captura una pieza del adversario con una pieza que no puede capturarla, se está obligado a tomarla con otra pieza si fuera posible o a jugar la pieza tocada, a elección del adversario.

Artículo 13º. Si se captura una pieza propia con otra pieza nuestra, el adversario puede elegir cuál de las piezas tocadas debe ser jugada, que él moverá a propósito.

Artículo 14º. Si se hace una jugada falsa, el adversario puede elegir entre hacer volver la pieza a su casilla, dejarla donde se jugó, hacer jugar otras o reemplazar la jugada por otra de Rey.

Artículo 15º. Si se hacen dos jugadas seguidas, el adversario puede elegir, antes de hacer su jugada, entre dejar pasar los dos lances efectuados o hacer retroceder el segundo.

Artículo 16º. Si se avanza un peón dos pasos, en el momento de pasar al lado del peón, será dueño de capturarlo.

Artículo 17º. El rey no puede enrocar cuando ha sido jugado, o cuando pase sobre un jaque o cuando la torre ha sido jugada, o cuando se halle en jaque, y si en este cuarto caso se han tocado la torre y el rey para enrocar, el adversario tiene la elección de hacer jugar el rey o la torre.

El que ha dado de ventaja una torre puede, igualmente, enrocar por el flanco de la torre dada, diciendo: "enroco".

Artículo 18º. Si se toca una pieza que no puede ser jugada porque deja al rey en jaque, entonces deberá jugarse el rey, y si tampoco es posible, la falta no tendrá consecuencias.

Artículo 19º. Hay que advertir el jaque al rey; si el rey se encuentra en jaque y no habiendo avisado juega otra pieza que no defiende al rey, su adversario debe advertir: "Jaque al rey" y entonces la jugada hecha debe ser devuelta y hacer otra que defienda al rey del jaque.

Artículo 20°. Si el rey se encontrara en jaque después de varias jugadas sin que ninguno de los jugadores se haya apercibido de ello, y si no es posible verificar cuándo se le ha dado jaque, en el momento de ver la irregularidad deberá volverse la última jugada hecha y efectuar otra para defender al rey del jaque.

Artículo 21°. Si el adversario avisa un jaque al rey y se mueve al rey u otra pieza para evitar el jaque, y resulta que no existe tal jaque,

Juego de nobles en sus comienzos, el ajedrez se ha vuelto saludablemente plebeyo y popular.

antes de que el adversario haya jugado se puede rehacer la jugada y efectuar otra.

Artículo 22º. Pero ello no será posible si el adversario ha hecho ya su jugada. En general, toda irregularidad será corregida en el momento de efectuar la jugada o de tocar la pieza para la jugada siguiente.

Artículo 23º. Cuando un peón corona dama, podrá pedirse una segunda dama, o un tercer caballo, o cualquier otra pieza que se juzgue útil para ganar la partida.

Artículo 24º. Si el rey está ahogado, esto es, que no pueda ser jugado sin estar en jaque, y no existen piezas ni peones para ser jugados, en este caso la partida es tablas.

Artículo 25º. Cuando parece que un jugador no puede realizar los mates difíciles, tales como caballo y alfil contra rey, torre y alfil contra torre, dama contra torre, será requerido por el adversario, fijándose sesenta jugadas de cada bando para finalizar la partida; pasado este número de jugadas sin que el mate se haya producido, la partida será tablas.

Artículo 26º. Toda duda debe ser resuelta siguiendo el Reglamento aquí provisto; si la decisión de una jugada depende de un hecho, debe ser juzgado por los espectadores, debiendo los jugadores someterse a su fallo.

CAPITULO IX
LA ARGENTINA JUEGA AL AJEDREZ

En su grave rincón los jugadores
Rigen las lentas piezas.

Jorge Luis Borges

Los trebejos llegan a América

Como no podía ser de otra forma, el ajedrez ingresó en América con los conquistadores españoles. "El saber mover las piezas de un tablero —escribe Viale Avellaneda— llegó a ser como patente o pasaporte de cultura social para todo el que al Nuevo Mundo venía investido de cargo de importancia".

Sugiere el cronista Hernando del Pulgar que fue luego de vencer en una partida de ajedrez a un rival circunstancial cuando el rey Fernando el Católico se decidió a darle a Cristóbal Colón el título de Almirante de la Mar Océano. Ricardo Palma, autor de *Tradiciones peruanas*, nos cuenta que los capitanes Hernando de Soto, Juan de Rada, Francisco Chaves y Blas de Atienza, junto con el tesorero Riquelme, se congregaban todas las tardes en el lugar en que estaba prisionero el Inca Atahualpa para jugar al ajedrez sobre dos tableros pintados toscamente en unas mesitas de madera. De Soto le enseñó a jugar a Atahualpa, y el Inca sorprendió a los españoles por su ligereza mental, ya que, a poco de aprenderlo, jugaba con cierta fuerza y maestría.

Otro gran jugador de estas tierras parece haber sido el cacique Moctezuma, que habría aprendido a jugar observando a los soldados de Cortés practicarlo en sus ratos de ocio. Según cuenta Bernal Díaz del Castillo, soldado y cronista de la gesta mexicana, Moctezuma era muy aplicado y aprendía con rapidez.

La Lima colonial, capital del Virreinato del Perú, había sido una de las primeras ciudades centrales del imperio español en Indias. Cuando se fundó Buenos Aires, un puerto natural y mucho más seguro que los del Caribe o del Pacífico —cuyas aguas estaban infestadas de tiburones y piratas—, se produjo un desplazamiento de influencias, de poder político-económico y de vías comerciales. De cualquier manera, hasta la definitiva instalación de Santa María de los Buenos Aires, los dos grandes centros hispano-americanos fueron México y Lima. En el Perú, según afirma Palma, circuló con bastante difusión el libro de Ruy López, que Viale Avellaneda toma erróneamente por el primer tratado de ajedrez *aparecido* en España, cuando en realidad las obras de Lucena y Vicent, como sabemos, son anteriores.

En el Perú, según afirma Palma, circuló con bastante difusión el libro de Ruy López...

Es interesante el dato de Palma, recogido por Avellaneda, porque demuestra cómo, a poco de incorporarse América a España, la complejidad de la burocracia y la adminitración pública locales eran un obstáculo para la introducción de libros que los funcionarios veían como de menor importancia. En un territorio recién descubierto y en vías de evangelización, un misal latino era mucho más importante y útil que un manual de ajedrez. Sin embargo, para los españoles residentes en América la vida no era satisfactoria si no se podían ejercer con cierta libertad los ocios y diversiones característicos de España y del resto de Europa.

La primitiva Iglesia de América también se vio involucrada

con el ajedrez. Según cuenta Palma, el primer arzobispo de Lima fue un gran aficionado del tablero de ocho por ocho.

Las piezas eran de barro cocido, lo que las hacía sumamente frágiles.

El primer local porteño destinado al ocio

En el testamento que hiciera don Pedro de Roxas y Luna, "en el año del Señor de 1667", en favor del Gobernador y Capitán General del Río de la Plata, Don José de Salazar, dejándole sus bienes muebles (documento que figura en el legajo 8121 del sector Sucesiones del Archivo General de la Nación), se menciona un tablero de ajedrez, que con toda seguridad es uno de los más antiguos ingresados al país. Desdichadamente, la cita del testamento de Roxas y Luna no es muy completa. La frase textual que dejara estampada el amanuense dice: *"Yten un tablero muy rico del juego del ajedrez y el de tablas"* (véase la reproducción facsimilar de la página del testamento, que incluimos en este libro). De todos modos, no creemos que haya sido el primero, porque en 1667 Buenos Aires se encontraba próxima a cumplir su primer siglo de vida y algunos tableros tienen que haber ingresado previamente.

El historiador argentino Raúl Molina halló aquel tablero, y en 1956 publicó, en la ya desaparecida revista *Historia*, un trabajo titulado "Los juegos de truques y ajedrez se practicaban en Buenos Aires en 1600". Allí sigue un caso interesante de introducción del juego en estas latitudes, que tuvo ribetes policiales. Al parecer, un tal Simón de Valdez estableció hacia 1609 la primera casa destinada al ocio lúdico en Buenos Aires y en 1617 se la vendió al florentino de Bacchio de Filcaya. El documento de la venta del solar, con intervención de la Justicia, consigna entre los bienes incluidos en la transacción, una mesa de truques (billar) y "seis tableros", pero sin mencionar a qué juego corresponden.

Valdez había puesto su café con diversiones en la esquina sudeste de las actuales calles Alsina y Bolívar. Allí se jugaba al billar, en la mesa de *truques*, y probablemente al ajedrez o a las damas. Pero en 1617 Valdez fue remitido engrillado a España, por estafador y contrabandista, delito muy común en la Buenos Aires de aquellos tiempos. Antes de irse, Valdez logró vender el local.

Para ese entonces, la expansión del juego por dinero originaba la preocupación fiscal del Cabildo. Si las apuestas eran una fuente considerable de divisas para sus explotadores, el Cabildo tenía que recaudar impuestos a partir de ellas, para cumplimentar sus propias obligaciones: alumbrar la ciudad, que siempre había sido un lugar seguro para bandidos y malhechores; rellenar los pozos, para que los carretones no siguieran incrustándose en el barro, y dar alguna solución al permanente problema de las inundaciones.

Un juego de próceres

Después de este episodio, sólo encontramos un prolongado silencio. Posiblemente, al igual que en otras latitudes del imperio español, el ajedrez haya sido el pasatiempo predilecto de la administración colonial porteña, pero no tenemos constancias. Para 1667, fecha del testamento que comentamos, en Europa se imponían Greco, Carrera y los demás maestros italianos. Los hombres sobre cuyas espaldas recaía la responsabilidad de gobernar estas alejadas tierras seguramente se esmeraban por hacer de su estadía en ellas lo más acorde a su idea de civilización, entre otras cosas, jugando al ajedrez, que les brindaba además una buena manera de dejar en claro su procedencia y superioridad, ya que los nativos, fuesen indios o mestizos, eran afectos a otros juegos menos elaborados. Sin embargo, ninguna historia del Virreinato del Río de la Plata que aborde el tema de los juegos y de las diversiones públicas y privadas se refiere al ajedrez ni al juego de damas. El ajedrez fue, por lo menos hasta después de la declaración de la Independencia, casi totalmente desconocido para el pueblo.

El ajedrez fue, por lo menos hasta después de la declaración de la Independencia, casi totalmente desconocido para el pueblo.

En la Plaza Constitución, en el monumento a Castelli, obra del escultor alemán Gustavo Eberlein, hay un grabado en el que se ve al virrey Baltasar Hidalgo de Cisneros jugando al ajedrez con el brigadier Quintana, en el mismo momento en que los patriotas argentinos Castelli y Martín Rodríguez vienen a exigirle la constitución de un Cabildo Abierto. En sus *Memorias*, Martín Rodríguez cuenta ese mismo episodio, pero cambiando el ajedrez por las cartas.

Unos años después de la declaración de la Independencia, la ciudad de Buenos Aires desbordaba demográficamente y se ensanchaba hacia la pampa, lo que tuvo directa influencia en el desarrollo del ajedrez argentino, que resultó favorecido por la multiplicación de los cafés y las tertulias porteñas. En la esquina de las actuales calles Tte. Gral. Juan Domingo Perón y San Martín, algunos años antes de 1819, en el famoso Café de los Catalanes, que estuvo en pie hasta 1900, se jugaba al ajedrez y al billar.

La práctica del ajedrez se hizo muy común, al menos entre la clase dirigente. Si se piensa que el elegante unitario, de levita y galera, era el único que podía interesarse en aprender este juego, como parte de su formación intelectual, habrá de saberse que Juan Manuel de Rosas, máximo caudillo federal, era un jugador de cierta importancia.

Con la fundación del Club del Progreso, en 1852 —poco después de la caída de Rosas—, y la de otros centros similares, el ajedrez empezó a cobrar vida y se impuso como pasatiempo intelectual. Algunos socios de ese tradicional club de Buenos Aires se escindieron de él en 1905 y fundaron el Club Argentino de Ajedrez, la más antigua institución nacional dedicada a la práctica, estudio y difusión de este milenario juego.

Tableros y piezas de ajedrez pertenecientes a personajes ilustres y destacados de nuestra historia se encuentran diseminados por distintas instituciones. En el Museo del Cabildo hay una mesa en la cual solía jugar el Marqués de Sobremonte, y en el Museo Histórico Nacional, donado por Dolores Lavalle de Lavalle, el juego de ajedrez y algunos otros objetos que fueron de su padre, el general Juan Galo de Lavalle. En ese mismo museo se exhiben las piezas que pertenecieron al Restaurador, aunque su tablero se encuentra en el Museo de Luján. El Museo Mitre expone un bonito tablero que perteneciera a Bartolomé Mitre, aunque las piezas se han extraviado.

Uno de los más antiguos juegos que aún se pueden ver es el que perteneciera a Pedro Somellera. Se conservan sólo veintidós de las treinta y dos piezas originales. Cada pieza lleva inscripto el nombre de alguna personalidad que jugó con ella, en la felpa que se suele adosar a la base del trebejo.

Jugaban al ajedrez Florencio Varela, nuestro primer periodista, el general Alvarez Thomas, guerrero de la Independencia y José María Paz, de quien dice Adolfo Saldías, en su clásica *Historia de la Confederación Argentina*, que, estando preso, solía jugar ajedrez con su carcelero. Al parecer, no era mal jugador.

Fuentes secundarias, anécdotas, relatos de época, objetos de su pertenencia y crónicas biográficas y autobiográficas atestiguan que Rosas, San Martín, Rivadavia y otros próceres jugaban al ajedrez. Lo que no sabemos y jamás podremos llegar a saber es cómo jugaban, porque las partidas no han quedado registradas. La notación descriptiva, que la mayoría de los investigadores adjudican al portugués Damiano —y que estudiamos en nuestro capítulo V— no ingresó en el país sino hasta fines de la década de 1880.

Literatura ajedrecística argentina

Revisando los catálogos de la colección Celesia, de la biblioteca del Archivo General de la Nación, encontramos una ficha que nos llamó profundamente la atención. El descriptor bibliográfico rezaba *Juegos de Ajedrez, libremente traducido del francés al español, de los mejores autores, por Gregorio Ibarra, año de 1840, Buenos Ayres.* Teníamos la referencia de que una nota sobre el ajedrez había aparecido en un número de la revista "El Mosquito", aunque por desgracia nunca la pudimos hallar, pero la fecha nos parecía temprana para una bibliografía del ajedrez en nuestro país. Con el

La bibliografía del ajedrez en la Argentina empieza a cobrar fuerza y vigor recién en la década de 1930.

dato de la signatura topográfica fuimos al estante correspondiente a buscar el ejemplar y con asombro descubrimos que el libro en cuestión no era un libro, sino un manuscrito encuadernado.

El hallazgo fue todavía más sorprendente cuando comprobamos que nadie, ni siquiera Diego Abad de Santillán en su minuciosa *Gran enciclopedia argentina,* manifestaba conocimiento alguno de ese precioso manuscrito, códex de la historia del ajedrez argentino.

Es probable que Celesia, dueño de una buena parte de las bibliografías que hoy integran el elenco de colecciones de la biblioteca del Archivo General de la Nación y que fueron adquiridas por el Gobierno en 1957, haya comprado este manuscrito en la tienda de algún librero amigo y no le haya prestado más atención ni más importancia que una rápida lectura. Para nuestra investigación, el dato es de suma importancia, puesto que se trata del primer intento para dotar al Río de la Plata de un manual de ajedrez.

Gregorio Ibarra fue librero y litógrafo, nació en Buenos Aires en 1814 y falleció en Montevideo en 1883. Fue un entusiasta rosista y, a mediados del 1837, adquirió las instalaciones de una antigua litografía porteña, que perteneciera a una dama de origen francés. Editó mapas y planos, retratos y también un boletín musical, el primero en su género en estas latitudes. Al referirse a Ibarra en el tomo IV de su enciclopedia, Santillán no menciona, como ya dijimos, el curioso manuscrito que comentamos. Ibarra tenía sólo 26 años cuando lo redactó, tal vez con la intención de regalárselo a Rosas.

El manuscrito se compone de doce folios escritos de ambos lados, que sumados a la primera hoja hacen un total de veinticinco carillas. De la tapa al folio 3, tenemos lo que el traductor ha llamado "juego de ajedrez", con la explicación de las reglas, en donde lo único por destacar y que no encaja con el resto, es que llama al alfil,"obispo". Si el manuscrito es traducción del francés, como sugiere el autor, debió haberlo llamado "loco" o "bufón", pues eso y no otra cosa es lo que significa la palabra *"fou"* con que los franceses identifican esta pieza.

Club Argentino de Ajedrez, 1905.

Con respecto a la regla de la coronación, dice Ibarra que ésta puede ser múltiple, pero la pieza recuperada se ubicará en la casilla en la que se la hubiese perdido. Da la victoria al rey ahogado, siguiendo con la modalidad inglesa ya señalada por Philidor en su libro.

Del folio 3 al folio 7 tenemos las *Direcciones para el jugador*, que proceden sin duda del libro de Philidor. A la vuelta del folio 7, las *Aplicaciones a las reglas precedentes*, que son tres y se destacan por ser más específicas, siendo la más importante la número 2, en la que se sugiere cómo y cuándo enrocar y de qué lado. Del folio 11 al folio 12 tenemos *Doce máximas para la conclusión del juego*, que no son otra cosa que los finales de Philidor. Hay una alusión a un grabado del tablero escaqueado, al que llama *damero*, pero el mismo no aparece en el ejemplar conservado.

El trabajo de Ibarra demuestra que en la Buenos Aires del siglo pasado circulaban libros de ajedrez. Los libros ingresaban en nuestro país por la vía de la importación y estaban en manos de los pocos libreros que había en la ciudad. Se trataba, por cierto, de aquellos libreros que gozaban de la libertad de importar obras sin temor a represalias por parte de Rosas.

En 1881 se fundó en Buenos Aires un club de ajedrez que no sobrevivió. Uno de sus miembros, don Laureano Acevedo, tradujo y editó al año siguiente, con el título *Aperturas de ajedrez*, el libro *Chess Novelties* del inglés H. E. Bird, que resulta ser, de esta manera, el libro de ajedrez más antiguo publicado en el país. Un ejemplar de este trabajo se encuentra en la biblioteca del Club Argentino de Ajedrez y es una obra de relativo valor bibliográfico.

La bibliografía del ajedrez en la Argentina empieza a cobrar fuerza y vigor recién en la década de 1930, después de haberse jugado en Buenos Aires el encuentro por la Copa del Mundo, entre Capablanca y Alekhine. Por cierto que se trata de obras de carácter instructivo que apuntan a cuestiones específicas del juego, tales como apertura, medio juego y final. A excepción de los trabajos del maestro Roberto Grau, que investigó la historia del juego con muy pocos y pobres elementos de juicio a su disposición, no hay ningún intento por llevar a cabo una tarea historiográfica.

Debe destacarse también el ya citado artículo de Viale Avellaneda, publicado en la revista *El Ajedrez Americano*. Aunque su información es incompleta (desconoce la existencia del libro de Lucena), constituye un interesante punto de partida. Cuando Viale Avellaneda escribió su artículo, en 1932, no se conocía todavía el testamento de Roxas y Luna, hallado por Molina.

Historiadores posteriores, como Scenna, que se ocupó de los cafés porteños; y Cordero, en su libro *El primitivo Buenos Aires*, citan el formidable hallazgo de Molina sin aportar nada más, por lo que posiblemente en lo que hace a la historia del ajedrez en la Argentina, Molina ha hecho el hallazgo más significativo.

El ajedrez en la Argentina, de A. Pérez Mendoza, socio fundador del Club Argentino de Ajedrez, merece una atención especial. Pé-

Club Argentino de Ajedrez, 1908.

rez Mendoza era más que un simple entusiasta y fuerte jugador. Sus proyectos, que gozaron en alguna oportunidad del apoyo oficial, eran de una amplitud sorprendente, y dejó sobradas muestras de ello en la obra que comentamos. El quería llevar el ajedrez a los colegios, a la Penitenciaria, a los asilos de huérfanos, porque estaba convencido de que con la práctica, enseñanza y difusión de este noble juego contribuiría a erradicar vicios y reformar delincuentes, amén de devolver la sonrisa y desarrollar la capacidad y el espíritu creativo de los niños más desamparados.

El libro de Pérez Mendoza representa un proyecto encomiable, aunque en cierta medida incompleto, pues el autor debió haber buceado más en los orígenes históricos del juego. Recogió, de todos modos, una interesante colección de anécdotas referentes a próceres argentinos, algunas de las cuales hemos incorporado páginas atrás. Incluyó también las partidas documentadas más antiguas del ajedrez argentino, lo mismo que los duelos telegráficos, que estuvieron en auge hacia finales del siglo XIX y que tenían por sedes a distintas ciudades de la Argentina, como Buenos Aires, Rosario o Córdoba.

Tanto el libro de Pérez Mendoza como la primera edición del manual de Grau, de 1930, se encontraban en la monumental biblioteca del maestro español contemporáneo José Paluzíe y Lucena, autor a su vez de un manual que incluye algunos datos históricos interesantes. En 1935, Paluzíe y Lucena donó su importantísimo fondo bibliográfico a la Biblioteca Central de Barcelona. Con ese motivo, se hizo una exposición de todas las obras donadas por el autor, que superaban holgadamente los quinientos volúmenes. Allí se pudieron ver, además de tres libros de edición argentina y publicaciones locales, como algunos números de *El Ajedrez Americano,* un ejemplar completo del libro de Lucena y obras de los más prestigiosos autores de estos últimos cuatro siglos, algunos de los cuales han ido desfilando a lo largo de estas páginas. Por expresa voluntad del maestro, se imprimió un folleto en el cual se cita cada una de las piezas bibliográficas, según la materia de que se trate.

Fue el maestro argentino Luis Palau el primero en traducir y editar con un criterio moderno, adaptándolo a los tecnicismos ajedrecísticos de su tiempo, el libro de Philidor. Realizó así el sueño de Ibarra, que se había quedado en manuscrito. Palau, más de un siglo después, edita el primer Philidor en América. Esta edición, además de ser excelente y de recoger fielmente el legado de Lucena, fue muy bien recibida por el público, y se reimprimió en numerosas oportunidades.

El ajedrez en la anécdota y en la política

En 1845, cuando el general Manuel Oribe, aliado de Rosas, sitiaba Montevideo, encontramos un puñado de argentinos que, junto con amigos orientales, habían enarbolado la bandera de la resistencia y defendían heroicamente esa plaza, en lucha contra el Restaurador y sus aliados. (Alejandro Dumas hijo, retratista de actitudes heroicas y románticas, llamó a Montevideo *La Nueva Troya*, por ese larguísimo asedio.) Por esos años se encontraba en Montevideo, del lado de los defensores, un joven comandante de artillería que no llegaba a los treinta años: Bartolomé Mitre. Mitre fue siempre un gran entusiasta del ajedrez, pero, al igual que Napoleón I, nunca fue un jugador de fuerza o maestría.

En los largos ratos de ocio que el asedio de la ciudad le imponía, Mitre se entretenía en prolongadas sesiones de ajedrez con el teniente de infantería Pérez Mendoza. En una oportunidad en la que jugaban sumidos en el más absoluto silencio, Mitre le preguntó de pronto a su rival:

—Si usted jugara una partida de ajedrez con una señorita, ¿qué color de piezas le daría?

—Las blancas, pues ese color simboliza la pureza del pensamiento.

—Pues diferimos —retrucó Mitre—. Yo le daría las negras, para que resaltara más la blancura de sus manos. —Y no se habló más hasta después de concluida la partida.

En 1891 la situación política nacional era agitada, con motivo de la inminente elección presidencial, prevista para el año siguiente. Eran posibles candidatos Julio Argentino Roca y Roque Saénz Peña. Aunque rivales en el campo político, tenían estos hombres una buena relación de amistad y se trataban a menudo. En una oportunidad se sentaron a jugar una partida de ajedrez. Cuando quien fuera dos veces presidente de la República, el general Roca, había desarrollado alfil y caballo, Saénz Peña interroga con malicia:

—¿En-Roca usted, General?

Roberto Grau y el campeón argentino Carlos Guinard en la partida decisiva en que el primero obtuvo brillante victoria. 29 de octubre de 1938. (CARAS Y CARETAS)

—Yo sí —contestó el Viejo Zorro—, y usted también hace su en-roque.

—Yo también.

Lo que ninguno de los dos sabía es que de la contienda electoral saldría vencedor el padre de uno de los protagonistas, Luis Saénz Peña, que como se sabe renunció, después de una revolución, en favor de su vicepresidente, José Evaristo Uriburu.

Estas dos anécdotas no son más que una pequeñísima parte del rico y jugoso anecdotario ajedrecístico argentino, tan prolijamente recopilado y ordenado por Pérez Mendoza. Las historias de esta naturaleza suelen ser recogidas por la tradición oral y sufrir cambios debidos a la intervención de quienes las narran o recrean. En algunos casos, proceden de la fantasía de alguien que tomó una idea previa y la rediseñó, cambiando algunos datos o bien a los protagonistas. En el campo de la historia del ajedrez en la Argentina, son las fuentes orales las que nos permiten saber, aunque sea de un modo imperfecto, quiénes jugaban al ajedrez en épocas distantes. Además, no hay que olvidar que la notación descriptiva no ingresó en el país hasta 1880.

Euwe-Alekhine

Grabo, la casa que publicaba la revista *El Ajedrez Americano*, editó un curioso libro compuesto por Mariano Viaña, miembro del Club Argentino, titulado *Trebejos*. La obra, que está dedicada a la Honorable Cámara de Diputados de la Nación, institución a la que pertenecía su autor, se inicia con un poema de Roberto G. Grau, quien nos revela así sus dotes líricas. Está compuesta por una serie de relatos de carácter o asunto criollo y cada uno de ellos es un problema de ajedrez artístico. Una vez resueltos los problemas en la cantidad de movimientos indicada por el autor, las piezas dibujan puñales, iniciales de nombres y figuras de todo tipo en el tablero.

Uno de los problemas, dedicado a quien era entonces presidente de la Nación, Hipólito Yrigoyen, está compuesto de tal modo que las piezas en el tablero dibujan las iniciales del Presidente. Al dar mate, la H se transforma en una silla y la I, que en este caso es latina y no griega, en una F, con el significado de "Sillón Federal". *"Hasta el ajedrez le ofrecía al señor Yrigoyen el sillón presidencial"*, reza el epígrafe colocado por Viaña junto al tablero.

El libro contiene veinticuatro problemas, siendo el último un problema real, vale decir, una posición a la que se puede arribar a lo largo del juego. Viaña puede ser considerado, con toda justicia, uno de los primeros compositores argentinos de problemas. Dando rienda suelta a su imaginación y a su creatividad, contribuyó a destacar y enaltecer los aspectos artísticos de este juego, entre nosotros y en todo el mundo.

El ajedrecista Erik Elis Kases durante su actuación en el torneo municipal de Buenos Aires. (1964)

En 1919 se llevó a cabo en Buenos Aires un encuentro entre argentinos y uruguayos. Para celebrar dicho acontecimiento un jugador del equipo oriental compuso un diálogo poético. Los protagonistas son el Ajedrez y la Poesía. Esta última está encarnada por una musa, mientras que el Ajedrez aparece representado en traje de Rey, vale decir que el juego está simbolizado por una de sus piezas, la principal. La obra, firmada por Juan Eduardo Loedel, se titula "Diálogo dramático entre el Ajedrez en traje de Rey, con manto ajedresado (*sic*), corona y cetro, y la Poesía en traje de musa, con la lira de Orfeo, dedicado en su primera parte al eminente problemista americano Alan White, en retribución a su delicado obsequio de la Navidad de 1916 y en su segunda al respetable y distinguido maestro argentino José Pérez Mendoza, en recuerdo del match internacional entre argentinos y uruguayos, celebrado en 1919". El Rey, enamorado de la Poesía, a la que hace hija del Cielo, suplica su presencia; ella se presenta en el Palacio y él le declara su amor. La Poesía pregunta si el Rey del Ajedrez tiene la belleza del arte y la sagacidad de la ciencia, a lo que el Ajedrez, encarnado en la persona del Rey, responde afirmativamente y pide la mano de la Poesía. Ella lo acepta y el poema concluye con citas de algunos poetas del ajedrez rioplatense.

El ajedrez ha sido una metáfora de la política a la que recurrieron y recurren muchos humoristas gráficos. Artistas y dibujantes lo asocian a una lucha, aunque esta vez no sea la de los heraldos de la Edad Media. Tal es el caso de la portada del número del 9 de abril de 1921 de la revista *Caras y Caretas*, que reproducimos en la página siguiente. Conviene aclarar que la revista fue siempre opositora al régimen inaugurado en 1916, originado en los primeros comicios limpios de nuestra historia política, lo que explica sus dardos.

El título de la tapa es "Match de ajedrez político". El ingenioso caricaturista escribió "Las negras en peligro". El rey negro en peligro es, por supuesto, Yrigoyen, con su rostro adusto, su monárquica y ajedrecística corona, que se asemeja bastante al bombín clásico que lo acompañó durante toda su vida (en razón de su manifiesta calvicie). Al rey radical lo acompañan Salaberry y Gómez, como torre y alfil, respectivamente. Con negras juega el Poder Ejecutivo, y con blancas, el Congreso. Vemos al diputado Vergara, con atuendo de rey y ubicado en la diagonal contigua a la de Yrigoyen, que es una diagonal negra. La diagonal de Vergara es **a8-h1**, mientras que la del "Peludo" es **a7-g1**. Hay dos peones blancos, que son Di Tomaso y González Iramain, uno de ellos en una ubicación imposible —como en los "problemas de apostar" medievales—, en **c1**. Hay un caballo blanco, que es Sánchez Sorondo, y la dama es Molina.

Buenos Aires, sede de campeonatos mundiales

El ajedrez se practicó en Buenos Aires en lugares públicos, en particular en sus cafés, como el Katuranga. El tradicional Tortoni se destacó, como los cafés de otros lugares del mundo, por sus tertulias de café, coñac, poesía y ajedrez. También se jugó ajedrez en el Lloveras, en el 36 Billares, en el Rex y otros, que vieron pasar, sobre las mesas "que nunca preguntan", a una pléyade de "sabihondos y suicidas", como dice el tango, convocados por la poesía y la bohemia, pero también por el ajedrez.

A pesar de las distancias que la separan de las grandes ciudades ajedrecísticas del mundo, Buenos Aires se transformó bruscamente en un centro de renombre para la práctica del ajedrez. En 1927 se jugó en estas australes latitudes un campeonato mundial en el que se midieron Alejandro Alekhine y el cubano José Raúl Capablanca. Recién en 1973 Buenos Aires volvió a ser la sede de un evento semejante: el match por las eliminatorias del título mundial, disputado por el campeón de la ex Unión Soviética, Tigran Petrosian, y Robert Bobby Fischer, por los Estados Unidos.

Los periódicos de la época recogieron con particular interés el encuentro de 1927, el evento que más difusión le dio al ajedrez entre los argentinos. El match revolucionó a la ciudad toda, que de buenas a primeras se mostró interesada en aprender todo cuanto es-

Inauguración del Torneo Mundial de Ajedrez en septiembre de 1939.

tos dos grandes del tablero mundial pudieran enseñar. En el Club Argentino de Ajedrez se conserva la mesa sobre la que se midieron Capablanca-Alekhine, mientras que Petrosian-Fischer jugaron en el Teatro San Martín de Buenos Aires.

Por los años del match Capablanca-Alekhine, Roberto Talice era cronista de *Crítica*, el diario de Botana, el medio que con más profusión de datos cubrió el evento. Talice nos ha dejado un muy ameno libro titulado: *100.000 ejemplares por hora, memorias de un redactor de* Crítica*, el diario de Botana*. Allí nos cuenta la singular declaración de una bataclana de la época: "Gloria Guzmán, que practica el ajedrez y se considera una campeona del noble juego, pone una nota de humorismo en una declaración donde dice que Capablanca ha desalojado de su corazón a Rodolfo Valentino". Recordemos que el actor Rodolfo Valentino causaba por entonces estragos en los corazones femeninos.

El presidente Arturo Frondizi con ajedrecistas.

Y, en efecto, la multifacética personalidad del cubano, el primer *sex symbol* del ajedrez mundial, reunía el fuego y la pasión latina, contra la flema inglesa, la sequedad germana o la frialdad rusa. Tan alocada fue su presencia en Buenos Aires, siempre rodeada de afecto por el público argentino y especialmente el porteño, que perdió el campeonato del mundo por no entrenarse, por no practicar ni estudiar ni dormir, por pasarse las noches de juerga, en cuanto bailongo hubiera en Buenos Aires. Nos lo ima-

Ajedrez viviente en la plaza Grande de la ciudad de Bruselas.

ginamos a las tres de la madrugada bailando un tanguito con una admirable morocha vestida de lamé, mientras el ruso llevaba varias horas de sueño en el hotel en el que se alojaba con su fea esposa.

En una oportunidad, como Alekhine se demoraba mucho en efectuar su movimiento, Capablanca se cansó de esperar y se fue a jugar al póker y al bridge con unos amigos argentinos, todos miembros del Club, en una sala contigua. Cuando terminó de jugar, regresó al salón donde se hallaba Alekhine y tuvo que seguir esperando, porque éste todavía no había hecho su movimiento.

El diario *Crítica* cubrió con maestría el magno evento, pero otros medios, no tan bien informados, tuvieron que salir a cubrirlo también, aunque evidentemente poco sabían de ajedrez: un periódico local publicó en la sección deportiva el siguiente comentario, que rememora con gracia Guillermo Puiggrós en su libro *Brillantes partidas argentinas*: "El maestro Capablanca suspendió su partida y debe ganar porque dio más jaques que el desafiante Alekhine".

El diario *Crítica* publicó durante un tiempo un suplemento que se llamaba *Crítica Magazine* y salía los lunes; allí apareció, el 23 de mayo de 1927, una nota titulada *El ajedrez a través del tiempo y los países*. La nota se debía al encuentro que estaba teniendo lugar en el Club Argentino. El artículo no aporta nada nuevo a lo ya conocido por nosotros sobre el tema, lo mismo que las notas que escribió "Capa" (como bautizaron amablemente al maestro cubano en el diario) y que continuó enviando desde su país a Buenos Aires.

Hubo en Buenos Aires dos eventos que se parecen en la forma, aunque se distancian en el tiempo. Se trata de dos ajedreces vivientes que se llevaron a cabo en esta capital; en 1892, el primero y en 1961, el segundo.

El 21 de agosto de 1892, en el Teatro Odeón, organizado por las *Damas de la Conferencia de San Vicente de Paul del Socorro*, se llevó a cabo una partida de ajedrez viviente. Dice Pérez Mendoza, de quien extraemos la preciosa información: "Las piezas blancas y rojas estaban representadas por señoritas y niñas de nuestra mejor sociedad que interesaron en todos los momentos el desarrollo de la partida y especialmente en el que la reina era dominada en su casilla y por lo tanto debía rendirse a un gentil alfil".

Setenta años más tarde, la crónica ajedrecística argentina recoge un evento similar, organizado con motivo de los festejos realizados por el Día del Ajedrez: "Excepcional brillo tuvieron los actos con que la Federación Metropolitana de ajedrez celebró el *Día del Ajedrez* de la Capital Federal. (...) Finalmente se realizó una partida de ajedrez viviente, que motivó elogiosos comentarios por los llamativos vestidos, con atuendos simbólicos. En dicha partida, los caballos, los alfiles y el rey estaban representados por jóvenes; y las damas, torres y peones, por señoritas. Tanto los vestuarios como la ornamentación general fueron cedidos por la Municipalidad, que prestó decididamente su apoyo al ajedrez. La partida estuvo a cargo de los maestros argentinos Miguel Najdorf, y Julio Bolobochán".

También en Buenos Aires se llevaron a cabo las Olimpíadas de ajedrez de 1939 y 1978. Desde aquellos seis tableros, de incierto origen, de los cuales nos ocupamos un poco más atrás, hasta hoy, Buenos Aires ha sido testigo de muchas glorias ajedrecísticas (ajenas unas, propias otras), mientras veía crecer su papel mundial, por la presencia de importantes jugadores y la realización de torneos de alcance internacional.

En una emisión de *La Campana de Cristal*, un programa de la televisión argentina de la década del '60 en el que el público y personajes del ambiente deportivo y farandulesco tomaban parte en pruebas insólitas con el objeto de recaudar fondos para emprendimientos solidarios, se llevó a cabo una partida de ajedrez viviente en la que intervino el maestro Miguel Najdorf.

Borges y el ajedrez

Entre las obsesiones literarias, místicas y filosóficas de Jorge Luis Borges —el gólem, la cábala, el laberinto, las literaturas germánicas primitivas— se encuentra también el ajedrez, que aparece en muchos de sus textos. En su volumen de poemas *El Hacedor*, incluyó los hermosos sonetos que transcribimos ahora, refinadas creaciones literarias, pero también la señal de una intensa presencia del ajedrez en su pensamiento.

Ajedrez

I

En su grave rincón, los jugadores
Rigen las lentas piezas. El tablero
Los demora hasta el alba en su severo
Ambito en que se odian los colores.

Adentro irradian mágicos rigores
Las formas: torre homérica, ligero
Caballo, armada reina, rey postrero,
Oblicuo alfil y peones agresores.

Cuando los jugadores se hayan ido,
Cuando el tiempo los haya consumido,
Ciertamente no habrá cesado el rito.

En el oriente se encendió esta guerra
Cuyo anfiteatro es hoy toda la tierra.
Como el otro, este juego es infinito.

II

Tenue rey, sesgo alfil, encarnizada
Reina, torre directa y peón ladino
Sobre lo negro y blanco del camino
Buscan y libran su batalla armada.

No saben que la mano señalada
Del jugador gobierna su destino
No saben que un rigor adamantino
Sujetan su albedrío y su jornada.

También el jugador es prisionero
(La sentencia es de Omar) de otro tablero
De negras noches y de blancos días.

Dios mueve al jugador y éste, la pieza.
¿Qué Dios detrás de Dios la trama empieza
De polvo y tiempo y sueño y agonía?

Las primeras revistas especializadas

La más antigua columna de ajedrez en una publicación porteña de fines del siglo pasado corresponde a la *Revista de Buenos Aires*. No estaba dedicada al ajedrez, pero todos los jueves aparecía una breve alusión a la actualidad ajedrecística, acompañada de un problema de ajedrez. El primer problema apareció en el número 11, el 3 de junio de 1895, junto con juegos de palabras y charadas. El redactor firmaba su columna con el seudónimo de "Nelumbo". Entre junio de ese año y junio de 1898 aparecieron en sus páginas, junto con algunas curiosidades y novedades del ambiente ajedrecístico porteño y del interior, alrededor de ciento sesenta problemas, que constituyen una de las primeras colecciones compuestas en el país.

La solución de los problemas se publicaba cuando algún lector de la revista, después de haberse agotado ensayando innumerables soluciones posibles y movimientos frente al tablero, hallaba la clave, la serie de jugadas que llevaba a la victoria y en la cantidad de movidas sugerida por el cronista. Es justamente por esta razón que algunos de los problemas aparecen sin solución, debido a que ningún lector la había podido hallar.

Esta sería entonces, y hasta que se halle un testimonio más antiguo, la primera aparición del ajedrez, en forma de juego o pasatiempo, en una revista porteña. Después del match Capablanca-Alekhine, los principales diarios incluyeron columnas dedicadas al ajedrez, pero también a otros juegos, como el bridge. Para 1930, *La Prensa, La Nación, El Mundo* y otros periódicos incluían en sus páginas notas sobre este juego, actualidades y reportajes a jugadores.

León Mirlas escribió en *Aquí Está,* una revista de actualidades de la década del 50, una columna titulada "El pintoresco mundo del ajedrez", en la que hacía algunos tímidos intentos por bucear en la historia local de este juego. Nunca llegó a remontarse más allá de la primera década de nuestro siglo, pero muestra a los maestros del pasado, como Benito Villegas, Arnoldo Ellerman, o Damián Reca, primer campeón argentino. Informaba acerca de la evolución del juego en el país y de las competencias en las que brillaban nuestros futuros campeones. Los textos están salpicados de anécdotas de viajes y visitas de personajes y personalidades del ajedrez mundial, con numerosas fotos.

En 1917 apareció *El Ajedrez Americano,* una de las más antiguas revistas de ajedrez del país. Posteriores son *El Ajedrez Argentino, Caissa,* de 1937, *Ajedrez,* que se comenzó a publicar hacia 1953, y también otras, como *Blancas y Negras, Nuestro Tablero, El Rey, Ajedrez de Estilo* y la revista *Jaque Mate,* órgano del club del mismo nombre.

Humor y ajedrez

Las grandes pasiones de los argentinos, por lo menos desde fines del siglo pasado hasta la fecha, han sido el turf, el tango y el fútbol. El ajedrez tuvo su momento de esplendor, como lo hemos señalado, y llegó a ser motivo de inspiración para humoristas, dibujantes publicitarios y caricaturistas.

Hojeando un tomo de la revista *Caras y Caretas* encontramos la publicidad de las pastillas *Cachets-Fucus,* que, según reza el aviso "dan mate!" a los dolores de cabeza, oídos, etc. En este caso, como en la caricatura de Hipólito Yrigoyen, aparecen piezas en posiciones imposibles (hay un peón blanco en **g1**). Una torre y un peón blancos están fuera del tablero. El aviso apareció en el número 1900, del 2 de marzo de 1935.

Chiste de Sátira /12

El ajedrez es una eficaz metáfora de la política. Una partida de ajedrez con los ministros Erman González y Domingo Cavallo, el presidente Carlos Menem y George Washington ilustra el reemplazo de Cavallo por González.

(RUDY Y PATI, SÁTIRA/12, SUPLEMENTO DE HUMOR DE PÁGINA/12, 9 DE FEBRERO DE 1991)

En el Club Argentino de Ajedrez se conserva un álbum de caricaturas de ajedrecistas argentinos, realizadas por un dibujante de la época, Diego Alonso. Caricaturas alusivas al ajedrez se encuentran a menudo en periódicos y revistas, entre 1919 y 1920, y fueron publicados en el diario *La Nación*. En una de ellas, titulada "De la vida diaria. Frutos del país, el mate" una "china" argentina, de sandalias y pollera a cuadros blancos y negros, como el tablero del ajedrez, alza una pieza, que podría ser la dama, y da mate. En otra se ve a una dama, bien porteña, que tiene una pava en la mano y le ofrece un "mate" a un rey, que lo rechaza con aire desdeñoso.

En la columna "Humor Extranjero", del diario *Crítica*, vemos una viñeta muy graciosa titulada *"Escenas de la vida militar"*: dos hombres de uniforme juegan una partida de ajedrez, mientras tres espectadores comentan y siguen la partida. Uno de ellos es un anciano que conduce las piezas blancas; su rival es un típico *dandy* de la época, de engominados cabellos y pitillo humeante, que dirige a las negras. Con un movimiento afortunado, el *dandy* arrebata la dama contraria y la mantiene suspendida en sus manos ante la atónita y desconcertada mirada del rival. En el epígrafe se lee "Hechos que merecen la medalla al mérito; el subteniente come la dama al almirante". El público porteño de la época disfrutaba de este doble sentido.

BIBLIOGRAFIA

Alfonso X, el Sabio, rey de Castilla y León, *Libro del Axedres, dados e tablas,* Sevilla, 1283 ("In folio"). Primera edición facsimilar, Leipzig, 1913.

Anónimo, *Tractatus de ludo scaccorum,* "In folio", siglo XIV.

Aparicio, Aníbal, *Curso de ajedrez,* Salta, 1986.

Basterot, Comte Berthelemy de, *Traité complète du jeu des échecs,* tomo I, París, 1863.

Brunet y Bellet, José, *El ajedrez, investigaciones sobre su origen,* Barcelona, 1891.

Cantú, César, *Historia universal,* tomo I, París, *sine data.*

Caputto, Zoilo, *El arte del estudio de ajedrez,* Madrid, 1993.

Cessolis, Jacopus, *Liber de moribus hominum et oficiis nobilium super ludo scaccorum,* edición de W. Caxton, Brujas, 1474. Idem, de Martín de Reyna, Aranda del Duero, 1547 (ediciones facsimilares posteriores).

Costa y Turrel, Modesto, *Tratado completo de la ciencia del blasón o sea código heráldico,* 2ª edición, Barcelona, 1858.

Damiano de Odemira, Pedro, *Libro da imparare a giocar scacci,* Roma, 1512.

Davidson, Paul, "El ajedrez", en *El Coleccionista,* Buenos Aires, Nº 38, año IV, 1991.

Delaire, Henri, *Les échecs modernes,* tomo I, París, 1913.

Ezra, Aben y Yehía, Aben, *Delicias reales o el juego del ajedrez,* París, 1864.

Forbes, Duncan, *The history of chess,* Londres, 1860.

Ganzo, Julio, *Historia general del ajedrez,* Madrid, 1970.

Gómez, Gabriel Mario, "Apocoloquintosis del divino Claudio", en *La Prensa,* 14 de agosto de 1988.

Hyde, Thomas, *Mandragorias, seu historia sahiludii,* Oxford, 1694.

Ibero, Ramón, *Diccionario de ajedrez,* Barcelona, 1977.

Lafitte Houssat, J., *Trovadores y cortes de amor,* Buenos Aires, 1963.

Lasker, Emanuel, *Common sense in chess,* Londres, 1896.

López de Segura, Ruy, *Tratado de la invención liberal y arte del juego de acedrex,* Alcalá de Henares, 1561.

Lucena, Luis Ramírez de, *Repetición de amores y arte de acedrez con CL juegos de partido.* Salamanca, 1497. (Hay tres ediciones contemporáneas, la última aparecida en Madrid, en 1997.)

Massman, H. F., "Histoire du jeu des échecs", revista *La Stratégie,* París, abril 1881, volumen XIV, año 15.

Mirlas, León, *El pintoresco mundo del ajedrez* (varias notas con ese nombre en la revista *Aquí está*)

Molina, Raúl, "Los juegos de truques y ajedrez se practicaban en Buenos Aires hacia 1600", *Historia,* tomo 3, Buenos Aires, 1956.

Murray, H.J.R., *A history of chess,* Oxford, 1913. Reimpresión facsimilar, 1962.

Paluzie y Lucena, José, *Manual de Ajedrez,* tomo I, Barcelona, 1905.

Pareja Casañas, Félix, *Libro del ajedrez, de sus problemas y sutilezas, de autor árabe desconocido,* Granada, 1935.

Pérez Mendoza, José, *El ajedrez en la Argentina,* Buenos Aires, 1921.

Philidor, A. D. *Analyse du jeu des échecs,* Londres, 1749. Traducción española: Madrid, 1864.

Salvio, Alessandro, *Il giuoco degli scacchi,* Nápoles, 1723.

Sánchez Pérez, J.B., *El ajedrez de don Alfonso el Sabio,* Madrid, 1929.

Sanvito, Alessandro, "La stagione araba nella storia degli scacchi", *Scacco,* Roma, 1993.

Solalinde, Antonio de, *Antología del rey Alfonso X de Castilla,* tomo 2, Madrid, 1922.

Souterus, Danielis, *Palamedes sive de tabula lusoria alea et variis ludiis quorum 1 philologiycus, 2 historicus et ethicus seu moralis,* Lyon, 1622.

Stamma, Philippe, *Essai sur le jeu des échecs,* París, 1737.

Talicce, Roberto, *Cien mil ejemplares por hora, memorias de un redactor de* Crítica, *el diario de Botana,* Buenos Aires, 1989.

Twiss, R., *Chess,* Londres, 1787.

Viale Avellaneda, J., *El ajedrez en el Nuevo Mundo, su iniciación en la Argentina,* en la revista *El Ajedrez Americano,* número 59-60, agosto-setiembre, 1932.

Viaña, Mariano, *Trebejos,* Buenos Aires, 1929.

Agradecimiento: El autor de este libro agradece la desinteresada colaboración del señor Gaspar Soria, cuya biblioteca especializada le permitió realizar, en buena parte, esta investigación.

INDICE

Esta edición
se terminó de imprimir en
Cosmos Offset S. R. L.
Coronel García 444, Avellaneda,
en el mes de agosto de 1998.